REUSSIR VOS SAUCES

Réussir vos Sauces

Nouvelle Cuisine, sauces françaises, sauces exotiques, chutneys, sauces au beurre manié, etc...

par

**Elisabeth Hobert, Martine de Lang
et Eliane Nemour-Piters**

Chantecler

Chutney aux pommes (p.50)

D-MCMLXXXIII-001-110
Traduction française de J. Brasseur
Photos de E. De Vocht

Table des matières

Introduction

Ces dernières années, on a porté beaucoup d'intérêt aux sauces et à leur préparation. A dessein, devons-nous dire: encore. Celui qui furète dans les livres de cuisine du siècle dernier ou du début de notre siècle, découvrira qu'il existait déjà à l'époque une grande variété de sauces. Il était bien entendu compréhensible que tout le monde ne préparait pas des sauces en ces périodes de pauvreté et de famine et que la préparation des sauces était limitée aux offices des gens aisés. De même qu'aux environs des deux Guerres Mondiales, alors que tout le monde souffrait de pénurie, les sauces restèrent à l'arrière-plan. La population était déjà très heureuse lorsque le pain apparaissait sur la table.

Dans la seconde moitié du siècle, la situation alimentaire s'améliora. Beaucoup de gens partirent en vacances à l'étranger, où ils firent connaissance avec les plats étrangers et les sauces qui par leur saveur enrichissent ceux-ci. De retour, plus d'une ménagère se mit à la recherche de recettes de sauces délicieuses pour accompagner les repas quotidiens.

L'industrie alimentaire s'empara de cette nouvelle tendance. De là la profusion sur les rayons des grands magasins de petits pots de sauces hollandaises, européennes et orientales. Il en est toujours ainsi avec les produits de masse. Ces produits sont de bonne qualité, mais pourtant il y manque juste un ''petit quelque chose'' qui caractérise les délices ''faits maison''. La main de la cuisinière prépare une sauce juste un peu plus savoureuse, ou y ajoute cette petite saveur ou cet ingrédient, qui confère à celle-ci son propre caractère.

Pourquoi une sauce est-elle aussi importante pour un plat déterminé? Elle fait plus que flatter la langue. Une sauce bien choisie confère à un met un certain caractère, grâce auquel il sera plus digestible. Mais jamais, elle ne pourra dominer la saveur du plat principal; tout au plus former un complément.

Plus la civilisation s'affine, plus elle devient difficile sur sa nourriture. Cela ne signifie pas que l'alimentation dégénère ou qu'on lui enlève des éléments importants. Les phénomènes fortement négatifs de la civilisation sur le plan de l'alimentation n'ont rien à voir avec le mot ''affinement''. Il est un fait que dans les pays aux civilisations anciennes, tels que ceux d'Occident, l'art culinaire en matière de sauces s'est toujours très fortement développé. L'effet de la sauce accompagnant un plat déterminé, commence déjà au moment où on la goûte. Les Maîtres des Cuisines française, allemande, anglaise, italienne, mais aussi indienne, chinoise, et autres cuisines étrangères, savaient cela; il en va de même pour les plats régionaux provenant de la contrée où l'on habite.

C'est la raison pour laquelle c'est une excellente idée de vouloir en savoir plus sur les sauces. Et surtout aussi: de savoir comment les préparer.

Sauce au concombre (p.18)

Un nouvel art de préparer les sauces

Peu de temps avant la 2ème Guerre Mondiale, de nouvelles idées concernant la composition et la valeur nutritive de l'alimentation, commencèrent à se faire jour. La diététique moderne se développa. Cela aboutit à l'application de méthodes de préparation tout à fait différentes de celles d'antan.

L'une des conséquences de cet essor fut la création d'un nouveau courant culinaire, originaire de France, et qui fut appelé la Nouvelle Cuisine Française. Grâce aux grands Maîtres français qui introduisirent ce courant, il y eut une véritable révolution dans les méthodes de préparation des sauces et plats français classiques. Les anciennes manières furent même déclarées tabou.

Il en va toujours ainsi avec les révolutions: on supprime l'ancien et lorsque la nouvelle mode s'affaiblit, l'ancien réapparaît sous une forme modifiée ou modérée. C'est aussi le cas pour les sauces.

Les idées sur lesquelles reposent la Nouvelle Cuisine Française ne sont pas fondées sur la diminution du nombre de joules (valeur calorique) des mets, comme on le prétend parfois. Elles se fondent sur l'utilisation pour un repas, d'ingrédients de meilleure qualité et de grande fraîcheur; sur le fait que ces ingrédients doivent, après leur préparation, rester reconnaissables tant par le goût que par l'apparence; sur des temps de cuisson plus courtes grâce auxquels la valeur nutritive des aliments est conservée; et sur la suppression de certains ingrédients nocifs. Ainsi, ni la farine brunie, ni le beurre bruni ne sont plus incorporés aux sauces et aux mets, et même la chapelure est exclue. C'est parce que tous ces ingrédients sont considérés comme cancérigènes ou susceptibles de favoriser le cancer. Un point important pour la préparation des sauces: on s'efforce de ne plus utiliser de la farine ou de la Maïzena pour lier des sauces, mais de lier celles-ci en ajoutant, lors de la cuisson, de la crème, des jaunes d'oeufs ou du beurre, ou une purée de légumes. On y incorpore aussi beaucoup le liant végétal ''arrow-root'', qui permet une liaison douce et qui n'a, de par lui-même, que peu ou pas de goût. La farine et la Maïzena alourdissent la saveur des mets et des sauces et sont tellement blutées qu'on peut les considérer vidées de toute substance vivante.

Si l'on ne peut éviter de lier une sauce avec de la farine, alors on utilise ce que l'on appelle le ''beurre manié''. C'est un mélange de beurre frais et de farine. On l'ajoute par petites quantités à un liquide pour le lier jusqu'à obtention de l'épaississement désiré. Ainsi, on peut soi-même déterminer la liaison désirée sans être tenu aux grandes quantités de beurre et de farine avec lesquelles les épaisses sauces aux roux classiques sont préparées.

Selon les principes de la Nouvelle Cuisine Française, le but des sauces n'est pas de couvrir ou de napper les mets, du moins pas au moment de servir. Bien entendu, chaque convive reste maître de son assiette et peut, lorsque la sauce est présentée séparément, disposer de sa nourriture comme il l'entend. La présentation distincte de la sauce accompagnant un met a aussi des avantages: dans les préparations d'autrefois, on différenciait les sauces à mélanger au plat et les sauces à napper. Ces dernières recouvraient les mets sous forme de crèmes ou en couches épaisses et pâteuses. Elles servaient bien trop souvent à camoufler un met d'aspect moins beau ou à atténuer le manque de fraîcheur d'un plat. Que la Nouvelle Cuisine Française rejette cela, est raissonable et normal.

Dans ce livre relatif aux sauces, du moins en ce qui concerne les sauces françaises, les principes de la Nouvelle Cuisine Française, sont suivis. Mais, vous y retrouverez aussi les sauces classiques, bien que les liants utilisés soient différents de ceux des sauces des roux.

Les sortes de sauces

Toutes les sauces ont comme caractéristique commune la liaison des ingrédients qui les composent. Cette liaison s'obtient de différentes manières, c'est-à-dire:
a)   en ajoutant à la sauce après cuisson, de la crème fouettée ferme, du beurre, des jaunes d'oeufs battus, ou des oeufs durs écrasés;
b)   en ajoutant un mélange de beurre et de farine (le beurre manié);
c)   en incorporant de l'arrow-root;
d)   par la transformation en marmelade de certains ingrédients;
e)   en incorporant des oeufs en tant qu'éléments émulsifs, ce qui signifie qu'ils constituent l'ingrédient qui permet de lier les autres éléments de la sauce.

Vous trouverez ces préparations dans les chapitres suivants; de même que des conseils qui peut-être vous éviteront des échecs. Préparer des sauces ne s'apprend pas du jour au lendemain. Si vous ne réussissez pas les sauces, ne vous découragez pas. Surtout pour les sauces où les oeufs jouent le rôle émulsif, c'est l'attention accordée à la préparation qui compte. Si par contre, vous les réussissez, c'est le signe que vous avez le don de préparer les sauces!

Quant aux sauces qui sont liées au beurre manié, une remarque doit être faite: après adjonction de ce liant, la sauce doit continuer à cuire afin que la farine du mélange puisse être cuite à point.

N'oubliez pas qu'une sauce ne doit jamais être un moyen de rendre un plat plus savoureux. Selon la Nouvelle Cuisine Française, chaque composant d'un repas doit être mangeable et digestible sans devoir être mélangé à un autre composant.

L'A.B.C. des sauces

Aromatiser   Donner un goût à une sauce.

Assaisonner   Une salade, par exemple, est assaisonnée à l'aide d'une sauce appropriée pour en relever le goût.

Bain-Marie   Mode de cuisson au cours de laquelle la sauce placée dans un ravier est cuite ou réchauffée dans une grande casserole d'eau bouillante. Celle-ci ne sera remplie qu'aux 3/4 pour éviter qu'elle ne déborde.

Déglacer   Conséquence du mouillage d'une sauce. Adjonction d'eau, de bouillon ou de vin au jus de cuisson d'une viande rôtie, ce qui détache les sucs de viande qui adhèrent au plat de cuisson.

Dégraisser   Une sauce ou un bouillon peut être dégraissé. Pour ce faire on laisse refroidir le liquide et on le débarrasse délicatement de la couche de graisse épaissie qui en recouvre la surface.

Essence   Extrait de certaines substances que l'on ajoute à une sauce. Disponible en flacons, dans le commerce.

Fond   Bouillon corsé utilisé comme base de sauce.

Fumet	Eau de cuisson réduite des déchets d'un poisson (arrêtes et tête) ou d'os de gibier, utilisée comme base pour la sauce d'accompagnement de ce poisson ou de ce gibier.
Lier	Il existe différentes façons de lier une sauce, c'est-à-dire de l'épaissir.
Mijoter	Cuire tout doucement.
Mirepoix	Accentue la saveur de certaines sauces. La mirepoix est composée de petits dés de jambon que l'on met à étuver dans un peu de beurre et auxquels on ajoute un choix de légumes et d'épices.
Mouiller	Arrêter la cuisson d'un jus de viande en y versant un filet de liquide froid, par exemple d'eau, ainsi la sauce ne continue pas à brunir. Le même procédé est utilisé pour la prépara ion de la sauce caramel.
Reduire	Les liquides peuvent être réduits, c'est-à-dire qu'ils s'évaporent partiellement et épaississent ou deviennent plus concentrés.
Relever	Une dernière manipulation à effectuer avant de servir la sauce. Par exemple: relever une sauce d'un filet de jus de citron et d'un peu de persil.
Roux	Base d'une grande quantité de sauces, se compose de farine et de beurre.

Sauces Françaises

Sauces légères au beurre manié

Le composant principal de ces sauces, le liquide, peut être du lait, mais aussi du bouillon de poisson (appelé fumet de poisson) ou du bouillon de viande ou jus de cuisson des légumes. Bien entendu, le composant dont on obtient le bouillon est déterminant pour les mets servis avec la sauce au beurre manié.
Le beurre manié incorporé au lait constitue une sauce de base pour beaucoup d'autres petites sauces neutres relativement simples.

BEURRE MANIE

150 g de beurre *125 g de farine*	Ramollir le beurre sur feu doux. Ne le faites pas fondre. Saupoudrez la farine et commencez à travailler le beurre uniformément avec une fourchette. Mélangez bien aussi longtemps que vous n'obtenez pas un mélange de consistance onctueuse. Vous pouvez laisser raffermir le mélange au réfrigérateur.

RECETTE DE BASE DU BEURRE MANIE AVEC DU LAIT

250 ml de lait *beurre manié*	Amenez le lait à ébullition. Retirez à chaque fois la casserole du feu pour y mélanger, à l'aide d'une cuillère en

Sauce magyare (p.22)

bois, de petites parcelles du mélange beurre/farine. Le beurre fondu, remettez la casserole sur le feu pour permettre la liaison de la farine avec la sauce, tout en tournant avec la cuillère. Répétez cette opération jusqu'à ce que le lait soit bien lié, mais ne faites pas la sauce trop épaisse. Cette sauce peut se servir telle quelle après y avoir ajouté sel, poivre, muscade ou autre ingrédient selon les préparations.

SAUCE MAITRE D'HOTEL

le jus de 1/2 citron
2 c.à s. de persil, finement haché

Mélangez ces ingrédients à la sauce de base.
Accompagne: tous les plats de poissons.

SAUCE AU FROMAGE

100 g de fromage râpé
2 c.à s. à ras, de moutarde fine
une pointe de poudre de coriandre
une pincée de poudre de paprika

Mélangez ces ingrédients à la sauce de base.
Accompagne: poireau, chou-fleur, chou-rave, jambon
fumé, oeufs.

SAUCE AUX ANCHOIS

le jus de 1/2 citron
2 c.à c. de pâte d'anchois (tube)

Mélangez à la sauce de base, sans ajouter de sel.
Accompagne: poissons frits, cuits, pochés ou grillés.

SAUCE AUX CREVETTES

100 g de crevettes finement
hachées
le jus de 1/2 citron
une pincée de noix de muscade

Mélangez à la sauce de base.
Accompagne: riz, salade pommée et concombres, poisson poché.

SAUCE AUX OEUFS

1 c.à c. de moutarde fine
1 c.à c. de persil, finement haché
1 jaune d'oeuf dur écrasé

Mélangez à la sauce de base.

SAUCE AUX CHAMPIGNONS

50 g de champignons émincés
légèrement rissolés
1 c.à c., à ras, de poudre de coriandre
1 petite feuille de laurier

Mélangez à la sauce de base. La sauce doit mijoter quelque peu à feu doux.
Accompagne: viande, poisson, oeufs, divers légumes.
En fait cette sauce peut accompagner avec délice pres-
que tous les plats.

SAUCE AU CITRON

le jus de 1/2 citron
le zeste râpé de 1/2 citron
une pointe de coriandre
une pointe de poudre de menthe
poivrée

Mélanger ces ingrédients à la sauce de base.
Accompagne: viande blanche, telle que poulet, veau et
agneau, poisson ou oeufs durs.

Le goût de chacun diffère. Les quantités données ci-avant des ingrédients qui donnent le goût, tels le jus de citron par exemple, sont des quantités moyennes. Si à la fin de la préparation de votre sauce, vous trouvez qu'il manque l'un ou l'autre ingrédient, vous êtes absolument libre de l'ajouter.

Sortes de bouillons à ajouter au beurre manié

Ici suivent quelques recettes de base pour la préparation de bouillons. Ceux-ci ne seront pas salés. L'assaisonnement ne peut se faire qu'à la fin de la préparation de la sauce.

BOUILLON DE VIANDE POUR BEURRE MANIE

bouillon de viande
1 feuille de macis
1 feuille de laurier
1 gousse d'ail
1 pincée de basilic
1 pointe de ciboulette séchée
1 pincée de marjolaine
1 blanc d'oeuf

Laissez cuire à feu doux la viande pour la soupe dans de l'eau froide, après y avoir ajouté la feuille de macis, la feuille de laurier et la gousse d'ail (si désiré). Laissez mijoter quelques heures jusqu'à frémissement de l'eau. Laissez encore cuire à petits bouillons jusqu'à ce que la viande soit cuite à point. Laissez refroidir le bouillon après y avoir ajouté la pincée de basilic séché et moulu, la pointe de ciboulette séchée et la pincée de marjolaine.

FUMET DE POISSON POUR BEURRE MANIE

têtes et arêtes de poissons
1 feuille de laurier
20 ml de vin blanc sec
grains de poivre
1 c.à c. de poudre de coriandre

Mettez les têtes et arêtes de poissons avec la feuille de laurier, le vin blanc sec, quelques grains de poivre et la poudre de coriandre. Portez le tout à ébullition; ensuite laissez cuire à feu doux pendant encore une heure. Laissez refroidir et passez au tamis.

BOUILLON DE POULE POUR BEURRE MANIE

ailes, cou(s) et carcasse(s) de
poule(s)
1 feuille de macis
1 feuille de laurier
1 c.à c. de poudre de coriandre
1 pincée de basilic
1 pointe de marjolaine
1 gousse d'ail

Mettez les ailes, cou(s) et carcasse(s) de poule(s) dans de l'eau et laissez mijoter jusqu'à frémissement de l'eau après avoir ajouté la feuille de laurier, la feuille de macis et la poudre de coriandre. Laissez encore mijoter une heure après avoir ajouté le basilic, la marjolaine et si désiré, une petite gousse d'ail. Passez le bouillon.

BOUILLON DE LEGUMES

Le jus de cuisson des légumes est incorporé au beurre manié servi.
Vous pouvez utiliser ces bouillons pour la préparation des recettes données ci-après, ainsi que pour la préparation de celles des chapitres suivants. En ce qui concerne l'assaisonnement des bouillons, ce qui a déjà été dit précédemment à ce sujet reste toujours valable: c'est une question d'expérience. Les épices mentionnées ici constituent une moyenne générale; tout comme vous aurez appris à préparer les beurres maniés, vous utiliserez les épices selon votre goût personnel.

SAUCE AUX CAPRES

3 c.à c. de câpres hachés

Préparez la sauce ainsi: - moitié lait, moitié bouillon de viande pour accompagner les plats de viandes - moitié lait, moitié bouillon de poisson pour accompagner les plats de poissons. Ajoutez les câpres à la sauce.

SAUCE A LA MOUTARDE

3 c.à c. de moutarde
4 c.à c. de vinaigre

Préparez la sauce ainsi:
- moitié lait, moitié bouillon de viande, pour accompagner les plats de viandes.
- moitié lait, moitié bouillon de poisson, pour accompagner les plats de poissons.
Ajoutez la moutarde et le vinaigre à la sauce.
Accompagne: - jambon fumé, lard, langue cuite de boeuf ou de veau. Hareng ou maquereau.

SAUCE AUX OIGNONS

2 petits oignons légèrement cuits, hachés finement
une pincée de noix de muscade

Préparez la sauce:
- moitié lait, moitié bouillon de viande, pour accompagner les plats de viandes.
Cette sauce ne convient pas tellement pour les plats de poissons. Ajoutez les oignons et la noix de muscade à cette sauce.
Accompagne: tous les plats de viande.

SAUCE BERCY

60 g de beurre
1 c.à s. d'échalotes, finement hachées
200 ml de vin blanc aigre
225 ml de fumet de poisson
1 c.à c. de persil haché
beurre manié
sel et poivre

Faites cuire les échalotes dans le beurre, sans les laisser brunir. Ajoutez le fumet de poisson et le vin. Ensuite, incorporez-y, à petit feu, par petites quantités, le beurre manié, jusqu'à liaison parfaite de la sauce. En dehors du feu mélangez-y le persil et assaisonnez selon le goût.
Accompagne: tous les plats de poissons.

SAUCE AU PERSIL

1/2 botte de persil, finement haché
1 pointe de noix de muscade en poudre

Préparez la sauce ainsi:
- moitié lait, moitié bouillon de viande, pour accompagner les plats de viandes.
- moitié lait, moitié fumet de poisson, pour accompagner les plats de poissons.
- moitié lait, moitié bouillon de poule, pour accompagner le poulet.
Ajoutez le persil et la noix de muscade à la sauce.
Accompagne: viande (bouilli de viande chaud avec du pain), plats de poissons, viande d'agneau, poulet.

Sauce au céleri (p.23)

Les sauces classiques françaises, actualisées

La plupart des sauces classiques de l'ancienne cuisine française reposent sur la sauce béchamel. Le liquide de cette sauce blanche est le lait, dans lequel sont incorporés des herbes aromatiques et des épices. De ce fait la sauce acquiert un goût propre. Les sauces dérivant de la sauce béchamel sont obtenues par adjonction d'éléments. Mais il y a deux conditions à respecter:

a) seul le beurre doit être utilisé et non la margarine, pour la préparation de la sauce béchamel;

b) la sauce ne peut être assaisonnée qu'à la fin de la préparation.

Une sauce béchamel peut être conservée dans le compartiment surgélation, par portions de 250 ml. Vous la réchauffez au bain-marie.

SAUCE BECHAMEL

1 l de lait
4 petites carottes, nettoyées et coupées en rondelles épaisses
2 branches de céleri coupé
2 gros oignons, coupés en quatre
une petit botte de persil
une feuille de macis
100 g de beurre non salé
100 g de farine
sel

Faites cuire à feu modéré, dans une casserole, le lait, les légumes et aromates. Portez le tout à ébullition en ne cessant pas de tourner à l'aide de la cuillère en bois. A ébullition, retirez du feu et couvrez. Déposez sur le couvercle un torchon humidifié à plusieurs reprises et laissez reposer ainsi la casserole pendant une heure et demie. Passez ensuite le lait au tamis. Les légumes et aromates peuvent peut-être encore être utilisés dans un bouillon. Ensuite, prenez une casserole suffisamment grande pour contenir le lait. Laissez-y fondre le beurre à feu modéré et surveillez; dès que l'écume apparaît, ajoutez la farine et baissez la flamme. Tournez avec la cuillère en bois et veillez à ce que la sauce ne change de couleur. En dehors du feu et tout en fouettant versez en filet le lait dans le mélange. Après chaque filet, remettez sur le feu et mélangez de façon à obtenir une masse lisse. Répétez l'opération. Après avoir incorporé tout le lait, laissez la casserole sur le feu en ne cessant pas de remuer de façon à obtenir une sauce épaisse. Assaisonnez selon goût.

(Quantités pour 4 portions à surgeler). Pour une portion, prenez le 1/4 de tous les ingrédients.

Voici quelques recettes où la sauce béchamel constitue la base.

SAUCE AU RAIFORT (SERVIE CHAUDE)

500 ml de sauce béchamel
10 c.à c. de raifort râpé
2 c.à c. de sucre
2 c.à c. de vinaigre
100 ml de crème non fouettée

Dans un bol, mélangez le raifort râpé avec le sucre et le vinaigre. Incorporez ce mélange à la sauce béchamel. Ajoutez enfin la crème non fouettée. Réchauffez doucement la sauce refroidie.

Accompagne: boeuf rôti ou grillé, poissons frits ou grillés (tels que truite, hareng ou maquereau).

SAUCE AU CONCOMBRE (SERVIE CHAUDE)

500 ml de sauce béchamel
1 concombre pelé, coupé en petits dés et cuits dans de l'eau salée
une pointe de sucre

Réduisez en compote les petits dés de concombre et mélangez-y le sucre et la poudre de coriandre. Incorporez la crème. Réchauffez la sauce doucement, sans l'amener à ébullition.

une pointe de poudre de corian-
dre
100 ml de crème fraîche non
fouettée

Accompagne: poisson en daube, croquettes de poisson, saumon fumé, etc.

SAUCE MORNAY (SERVIE CHAUDE)

500 ml de sauce béchamel
75 g de fromage râpé, de
préférence du parmesan ou du
gruyère
une pincée de poivre de cayenne

Sur feu doux incorporez le fromage à la sauce béchamel en mélangeant bien. Ne faites pas bouillir. Servir rapidement. Cette sauce ne peut plus être réchauffée car le fromage formera des fils. Eventuellement, avant de servir, vous pouvez encore ajouter à la sauce une c.à s. de crème non fouettée.
Accompagne: poissons (sole, brochet, crabe) ou oeufs durs.

SAUCE TARTARE (SERVICE CHAUDE)

250 ml de sauce béchamel
1 c.à s. de persil finement haché
2 c.à c. de jus de citron
1 1/2 c.à c. de câpres, finement
hachés
1 1/2 c.à c. de cornichons au vi-
naigre, finement hachés
un jaune d'oeuf (non cuit)
40 ml de crème fraîche, non
fouettée

Incorporez à la sauce béchamel le jus de citron, les câpres et les cornichons.
Mélangez le jaune d'oeuf à la crème fraîche et ajoutez ce mélange à la sauce.
Réchauffez la sauce très doucement sans l'amener à ébullition.
Accompagne: tous les plats de poissons.

SAUCE SOUBISE (SERVIE CHAUDE)

500 ml de sauce béchamel
un oignon finement haché, cuit à
point dans de l'eau salée
60 ml de crème fraîche non
fouettée
une pincée de poudre de corian-
dre

Ecrasez le plus finement possible l'oignon à la fourchette. Ajoutez-y la crème et la poudre de coriandre. Incorporez ce mélange à la sauce béchamel et réchauffez le tout doucement, sans amener à ébullition.
Accompagne: viande rôtie, étuvée ou grillée; délicieux avec le foie frit!

SAUCE ROUGE-VERTE (A SERVIR CHAUD)

500 ml de sauce béchamel
1/2 c.à s. de poivron rouge fine-
ment haché
1/2 c.à s. de poivron vert fine-
ment haché
100 ml de crème fraîche non
fouettée

Incorporez la crème à la sauce béchamel.
Pour colorer la sauce, ajoutez juste avant de servir les poivrons verts et rouges.
Accompagne: veau, agneau, poulet et oeufs durs.

SAUCE AU CURRY (A SERVIR CHAUD)

500 ml de sauce béchamel
4 c.à c., à ras, de poudre de curry
2 c.à c. de jus de citron
100 ml de crème fraîche, non fouettée

Incorporez à la sauce béchamel le curry, le jus de citron et ensuite la crème. Réchauffez doucement la sauce, sans amener à ébullition.
Accompagne: poisson, poulet, veau et oeufs durs.

La sauce veloutée classique

A l'origine, la sauce veloutée était aussi appelée roux blond. Elle était préparée comme un roux, tout comme la sauce béchamel, mais la farine était mélangée au beurre jusqu'à ce qu'elle devienne jaune. La Nouvelle Cuisine Française est en lutte contre le brunissement de la farine. Aujourd'hui, selon ses principes, la légère coloration brune de la sauce s'obtient en incorporant du bouillon de poule, veau ou poisson à la place du lait et en la préparant encore avec des champignons. Vous laissez cuire le bouillon de façon à le réduire de moitié, ce qui lui confère une coloration plus foncée. Ensuite, tout comme le lait, vous l'incorporez, en filets, au beurre et à la farine, Enfin, vous faites cuire les champignons dans la sauce. Après une à cinq minutes, vous passez la sauce au tamis. Vous pouvez y ajouter de la crème. Celle-ci donne alors une sauce veloutée, au goût relevé.

D'autres ingrédients peuvent être ajoutés aux sauces dérivant de la sauce veloutée. La crème qui doit y être incorporée, ne sera ajoutée qu'après adjonction des autres ingrédients. Ces sauces doivent aussi n'être assaisonnées qu'en fin de préparation.

Ceci est également valable pour les sauces qui sont dérivées de la sauce veloutée.

ROUX BLOND OU SAUCE VELOUTEE (A SERVIR CHAUD)

500 ml de bouillon de poule, veau ou poisson
50 g de beurre non salé
50 g de farine
50 g de champignons coupés
1 c.à s. de jus de citron
une pincée de poudre de coriandre
60 ml de crème non fouettée
sel et poivre moulu

Dans une grande casserole, faites fondre le beurre. Quand celui-ci devient mousseux, saupoudrez alors la farine et mélangez bien. Versez ensuite le bouillon en filet, en retirant à chaque fois la casserole du feu. Avant de verser à nouveau, remettez chaque fois la casserole sur le feu et mélangez bien à feux doux. Incorporez ensuite les champignons et laissez mijoter la sauce dans la casserole couverte, durant une petite demi-heure en remuant régulièrement. Passez maintenant la sauce au tamis et recueillez-la dans une casserole propre. A ce moment, ajoutez et mélangez la poudre de coriandre et le jus de citron. Le tout est réchauffé sans faire bouillir. Ajoutez maintenant la crème.
Accompagne: poisson, poulet, veau, selon le bouillon utilisé pour la préparation de la sauce.

SAUCE DE CREME AIGRE

500 ml de sauce veloutée,

Dans une petite casserole, mélangez les échalotes râpées

A gauche: sauce poivrade (p.23). A droite: sauce espagnole (p.26)

préparée avec du bouillon de veau ou de poule, sans crème aigre
3 grosses échalotes, râpées
40 ml de vinaigre de vin
125 ml de vin blanc sec
200 ml de crème aigre

au vinaigre de vin. Laissez cuire ce mélange quelques minutes à feu doux. Versez-y le vin et continuez la cuisson jusqu'à réduction du mélange de moitié. Ajoutez cette réduction à la sauce veloutée et laissez mijoter juste un petit quart d'heure. Retirez la casserole du feu et incorporez, tout en fouettant, et par petites quantités, la crème aigre.

La sauce ne peut plus bouillir, mais doit être réchauffée

à nouveau à bonne température. Servez immédiatement.
Accompagne: toutes les volailles, foie grillé et chevreuil rôti.

SAUCE MAGYARE

400 ml de sauce veloutée, sans y incorporer de la crème
1 oignon moyen, pelé et finement haché
40 g de beurre
3 c.à s. de poivron rouge, finement haché
3 c.à s. de poivron vert, finement haché
100 ml de crème non fouettée

A feu doux, faites cuire les oignons jusqu'à ce qu'ils prennent la coloration dorée et transparente. Ajoutez les poivrons et laissez cuire doucement le tout pendant quelques minutes. Entre-temps, réchauffez la sauce doucement. Incorporez-y les oignons et les poivrons en-dehors du feu. Ensuite, ajoutez la crème. Servez la sauce immédiatement.
Accompagne: poissons d'eau douce, poulet et fricandeau de veau.

SAUCE BRETONNE

500 ml de sauce veloutée (sans crème), préparée avec du fumet de poisson
les jaunes de 2 petits oeufs
40 g de beurre, divisé en petites parcelles

Incorporez, en fouettant, les jaunes d'oeufs à la sauce et laissez cuire doucement, sans amener à ébullition. Retirez la casserole du feu. Incorporez à la sauce les petites parcelles de beurre qui ne peuvent se mélanger à la sauce que lorsqu'elles sont fondues et en faisant tourner la casserole horizontalement. Maintenant la sauce ne peut plus être réchauffée ou être remuée.
Accompagne: les poissons en daube, grillés, braisés, et aussi l'écrevisse servie chaude.

SAUCE AURORE (SERVIR CHAUD)

500 ml de sauce veloutée (sans crème), préparée avec du fumet de poisson
3 c.à s. de purée de tomates
2 c.à c. de sucre
40 g de beurre non salé, divisé en petites parcelles

Si vous préparez une sauce veloutée fraîche, vous pouvez alors ajouter le sucre et la purée de tomates avant de passer la sauce au tamis. Si tel n'est pas le cas, vous devez les incorporer après. Laissez mijoter encore dix minutes, à feu doux. Juste avant de servir, incorporez le beurre par parcelles, la casserole hors du feu. Ne mélangez pas, mais tournez la casserole horizontalement jusqu'à ce que les parcelles de beurre soient fondues et prises dans la sauce.
Accompagne: poisson en daube.

SAUCE A L'ESTRAGON (SERVIR CHAUD)

500 ml de sauce veloutée, avec crème, préparée avec du fumet de poisson
1 c.à c. d'estragon séché

Réchauffez la sauce préparée selon la recette de base et mélangez-y l'estragon.
Accompagne: tous les poissons, sous quelque forme que ce soit.

SAUCE RAVIGOTE (SERVIR TIEDE)

500 ml de roux blond, sans crème
4 échalotes, pelées et râpées
40 ml de vinaigre de vin
une c.à s. de persil frais, finement haché
une c.à s. de cerfeuil frais, finement haché
3 c.à c. d'ail, finement haché
1 c.à c. d'estragon frais, finement haché

Dans une casserole, mélangez le vinaigre de vin et les échalotes et laissez cuire à feu modéré pendant quatre minutes. Incorporez ce mélange à la sauce veloutée réchauffée et laissez mijoter le tout encore 10 minutes, sans cesser de tourner. Ajoutez sel et poivre selon le goût et laissez tiédir la sauce. Ajoutez ensuite les fines herbes fraîches, caractéristiques de cette sauce.
Des herbes séchées ne confèrent pas le même goût savoureux à la sauce.
Accompagne: viande froide, poisson, poulet et dinde.

Sauce suprême classique

La sauce suprême classique est une sauce dérivée du roux blond ou sauce veloutée. On y ajoute des éléments qui lui donnent plus de finesse de goût; elle tient son nom du fait de cette adjonction supplémentaire de beurre, crème et jaunes d'oeufs: elle est considérée comme la sauce ayant le plus de classe, supérieure à toutes.
Mais cette adjonction supplémentaire d'éléments présente un désavantage: le risque de faire tourner la sauce. C'est la raison pour laquelle la sauce ne peut plus être portée à ébullition après y avoir ajouté les autres ingrédients. La sauce suprême forme la base de plusieurs sauces dérivées, comme vous allez le voir.

SAUCE SUPREME CLASSIQUE

500 ml de sauce veloutée classique, sans crème
2 jaunes d'oeufs moyens
100 ml de crème non fouettée
25 g de beurre non salé
1/2 c.à c. de jus de citron
sel et poivre selon goût

Mélangez, tout en fouettant, les jaunes d'oeufs et la crème. Dans une casserole couverte, réchauffez la sauce veloutée au bain-marie. Ensuite, le mélange oeufs et crème est incorporé à la sauce. Toujours au bain-marie, continuez à remuer la sauce jusqu'à ce que le mélange soit bien lié. Ajoutez alors le citron et le beurre, en ne cessant pas de tourner, jusqu'à ce que le beurre soit fondu. Assaisonnez selon le goût.
Lors de la préparation, la sauce ne peut absolument pas bouillir et doit être servie immédiatement.
Accompagne: volaille, poisson et veau.

Pour les sauces dérivées de la sauce suprême, la crème, le beurre et les jaunes d'oeufs ne sont souvent ajoutés qu'à la fin de la préparation.

SAUCE AU CELERI (SERVIR CHAUD)

500 ml de sauce suprême
céleri blanc ou céleri-rave

Cette sauce est préparée selon la recette de la sauce suprême. Avant d'y ajouter le beurre, les jaunes d'oeufs et le jus de citron, on y incorpore une petite tasse pleine de branches de céleri blanc cuit, finement haché et bien égoutté. Du céleri-rave coupé en petits dés peut aussi remplacer le céleri blanc. Après les avoir bien égouttés, écrasez-les finement à la fourchette pour en obtenir 5 c.à s.

Le céleri blanc ou le céleri-rave est d'abord incorporé à la sauce. Ensuite vous y ajoutez la crème, le beurre, le jus de citron et le jaune d'oeuf.

Accompagne: poisson en daube ou poulet.

SAUCE POULETTE (SERVIR CHAUD)

500 ml de sauce suprême
5 c.à c. de persil finement haché

Mélangez d'abord le persil avec le beurre et le jus de citron. Incorporez ensuite ce mélange à la sauce.
Accompagne: Poisson, veau, foie de veau et poulet.

SAUCE ALLEMANDE (SERVIR CHAUD)

500 ml de sauce veloutée classique, sans crème
5 jaunes d'oeufs
150 ml de crème
25 g de beurre non salé
1/2 c.à c. de jus de citron

Cette sauce se prépare avec les mêmes ingrédients que ceux pour la sauce suprême, mais avec plus de jaunes d'oeufs et de crème: pour 500 ml de sauce, 150 ml de crème et 5 jaunes d'oeufs.
Accompagne: poulet, choux-fleurs, pois et carottes, petites pommes de terre, brocoli, poisson.

Les sauces suivantes sont des sauces dérivées de la sauce allemande, mais la crème, le beurre, les jaunes d'oeufs et éventuellement le jus de citron sont souvent incorporés à la fin de la préparation.

SAUCE FLAMANDE (SERVIR CHAUD)

500 ml de sauce allemande
2 c.à c. de moutarde fine française

Suivez la recette de la sauce allemande, mais mélangez d'abord le beurre, la crème, le jus de citron et les jaunes d'oeufs et 2 c.à c. de moutarde fine française.
Accompagne: jambon, lapin, viande à l'étouffée, écrevisses et crevettes.

SAUCE NIVERNAISE (SERVIR CHAUD)

500 ml de sauce allemande
6 c.à s. de carottes en rondelles

Suivez la recette de la sauce allemande, mais ajoutez d'abord: 6 bonnes c. à s. de petites carottes cuites à point, coupées finement en rondelles. Ensuite, incorporez-y le beurre, la crème et le jus de citron
Accompagne: poulet, veau et oeufs.

En fait, pour toutes ces sauces, c'est la même préparation que celle de la sauce veloutée ou roux blond sans crème, qui sert de base. Les différences résident dans la modification des quantités ajoutées des ingrédients et des piments utilisés. Cependant, la sauce suprême doit être considérée comme une sorte de sauce indépendante; il faut considérer la sauce allemande comme une sauce dérivée de la recette de base, tout comme la sauce béchamel par rapport au beurre manié.

Sauce béarnaise (p.34)

Les sauces brunes classiques

En fait, la forme initiale de toutes les sauces bl unes appelées sauces "demi-glace", est le jus provenant de la cuisson de la viande auquel, pour le rendre meilleur, on ajoute du bouillon, du vin ou seulement de l'eau et/ou une liaison.

Mais comme il est nécessaire de faire cuire au four un grand morceau de viande pour en retirer le maximum de jus, ce dernier est de plus en plus remplacé par du jus de viande concentré sous forme de petits cubes ou de poudre. Il n'est pourtant pas possible de préparer artificiellement une sauce de viande qui se rapproche de la sauce "demi-glace".

Les autres sauces brunes classiques reposent toutes sur le roux blanc. La sauce espagnole est la principale. Elle se rapproche le plus du roux blanc, tout comme la sauce béchamel, mais elle est assez complexe du point de vue composition. Elle peut être conservée au réfrigérateur et ensuite être dégelée de la même manière que la sauce béchamel (voir chapitre). La sauce espagnole peut ensuite être accommodée selon une sauce brune dérivée.

La saveur des sauces brunes sera affinée en y ajoutant de la gelée de viande. Celle-ci est préparée selon la recette suivante:

GELEE DE VIANDE

750 g de viande de second choix
1 grosse patte de veau
1 bouquet garni se composant de 3 oignons moyens, 2 brins de persil, 3 petites carottes
2500 ml d'eau froide

Dans une grande casserole, mettez tous les éléments dans l'eau froide. Amenez à ébullition et à l'aide d'un écumoir, enlevez l'écume. N'utilisez pas de sel et d'épices. Dès que l'écume est enlevée, laissez mijoter, à feu doux, pendant 3 à 5 heures. Passez le bouillon au-dessus d'un grand récipient bas et laissez refroidir jusqu'au lendemain. Le liquide se sera figé sous une petite couche de graisse. A petit feu, mettez la gelée dans une poêle et laissez évaporer jusqu'à ce qu'elle devienne brune et épaisse; versez ce liquide épais dans un petit plat couvert et conservez de préférence au réfrigérateur. La viande de boeuf de second choix peut servir de ragoût, ou être consommée froide ou chaude avec du pain; elle est délicieuse accommodée d'un roux blanc au persil haché.

Les roux bruns classiques se distinguent des roux blancs et blonds par le fait que le beurre à y incorporer, est d'abord accommodé avec des herbes et éventuellement du bacon coupés en petits dés rissolés dans celui-ci. Passez la sauce à la fin de la préparation.

Vous trouverez ci-après la recette de la sauce espagnole, base des sauces brunes classiques.

SAUCE ESPAGNOLE

2 petites carottes, coupées en petits dés
1 gros oignon, finement haché
50 g de champignons
2 branches de céleri blanc
50 g de bacon, coupé en petits dés
50 g de beurre non salé
50 g de farine
500 ml de bouillon de viande maigre
1 c.à s. de purée de tomates
2 tomates fraîches, pelées
5 c.à s. de gelée de viande
1 1/2 grande feuille de laurier
4 c.à s. de persil coupé pas trop fin
4 grains de poivre noir
sel et poivre selon goût

Dans une casserole, faites fondre le beurre auquel vous ajoutez ensuite les petites carottes, l'oignon, les champignons et le céleri blanc, de même que le bacon coupé en dés. Couvrez et laissez cuire à feu doux. Secouez de temps à autre la casserole pour éviter que rien ne s'y attache. Découvrez et faites rissoler le tout jusqu'à ce que le mélange prenne une légère coloration. Saupoudrez la farine sur les légumes. Continuez à remuer jusqu'à ce qu'ils prennent une légère coloration brune. Retirez du feu et versez le bouillon en filet, tout en remuant. Lorsque la sauce est liée, ajoutez les autres ingrédients, excepté le sel et le poivre. Laissez maintenant mijoter la sauce à feu doux, pendant une heure. Remuez de temps à autre et écumez si nécessaire la matière grasse à la surface. Passez la sauce au tamis au-dessus d'une casserole propre. Goûtez et assaisonnez selon goût.

Si vous conservez la sauce au réfrigérateur, il est possible de la conserver pendant une semaine, mais vous devez réchauffer la sauce lentement avant de l'utiliser. Si vous conservez la sauce dans le compartiment surgélation, vous devez alors réchauffer, au bain-marie, une portion suffisante pour un repas ou pour la préparation d'une sauce dérivée. Préparée avec des oeufs, la sauce doit, dans ce cas, être fraîchement faite pour ne pas tourner.

A partir de cette sauce brune espagnole, des sauces classiques connues et délicieuses peuvent être préparées. Voyez les recettes suivantes.

SAUCE BORDELAISE

500 ml de sauce espagnole
200 ml de vin rouge
2 échalotes, finement hachées
une pincée de thym
une pincée d'estragon
20 ml de jus de citron
une c.à s. de persil, finement haché

Dans une casserole, mettez les échalotes et versez le vin. Faites cuire jusqu'à ce que le vin soit réduit de moitié. Ensuite, ajoutez la sauce espagnole et les aromates. Laissez mijoter le mélange un petit quart d'heure. Juste avant de servir, ajoutez et mélangez le jus de citron et le persil.
Accompagne: beefsteak, carbonnades, roastbeef, rognons et ris de veau.

SAUCE LYONNAISE

500 ml de sauce espagnole
2 oignons de grosseur moyenne
1 gousse d'ail si désiré

Coupez avec précaution les oignons en rondelles et divisez-les en petits anneaux. Faites-les dorer légèrement avec l'ail pilé, doucement dans le beurre, en un quart d'heure environ. Incorporez à la sauce espagnole. Ajoutez sel et poivre si nécessaire.
Accompagne: en général, la viande de boeuf, foie cuit, viande de porc grillée telle que filet de porc et échine ou point de porc.

SAUCE ROBERT

500 ml de sauce espagnole
2 oignons moyens, finement hachés
50 g de beurre
40 ml de vinaigre de bonne qualité
150 ml de vin blanc sec
5 c.à c. de moutarde de Dijon
2 c.à c. de sucre

Faites revenir dans le beurre les morceaux d'oignon, jusqu'à transparence et ajoutez alors le vinaigre et le vin. Sans couvercle, faites réduire le mélange de moitié. Ajoutez ensuite la sauce espagnole et laissez mijoter le mélange à feux doux, pendant 25 minutes environ. Ajoutez le sucre et la moutarde. Assaisonnez si nécessaire.
Accompagne: oie ou poulet rôti, viande froide, filet de porc, langue de boeuf ou de veau, râble et filet de chevreuil.

SAUCE PIQUANTE

500 ml de sauce espagnole
2 échalotes hachées
50 g beurre
une c.à s. de câpres, finement hachés
5 cornichons au vinaigre, finement hachés
2 c.à s. de persil, finement haché
125 ml de vinaigre de vin

Faites revenir, jusqu'à transparence, les échalotes dans le beurre. Ajoutez ensuite le vinaigre de vin. Laissez réduire le mélange de moitié. Ajoutez ensuite la sauce espagnole. Laissez mijoter le tout lentement, pendant 10 minutes. Ensuite, incorporez-y le restant des ingrédients et réchauffez bien la sauce.

Accompagne: fritures et croquettes, carbonnades, lard frit, filet de porc et échine ou pointe de porc.

SAUCE AU VIN ROUGE

500 ml de sauce espagnole
2 échalotes finement hachées
150 g de champignons, coupées en gros morceaux
250 ml de bouillon de viande corsé
240 ml de vin rouge
jus de 2 citrons

Faites lentement revenir dans un peu de beurre les échalottes et les champignons. Ajoutez-y ensuite le bouillon de viande (le cas échéant, un cube). Laissez mijoter un petit quart d'heure. Tout en remuant, ajoutez au mélange la sauce espagnole et ensuite le vin. Laissez mijoter à nouveau un quart d'heure. Assaisonnez si nécessaire. Enfin, juste avant de servir, ajoutez, tout en remuant, le jus de citron.

Accompagne: canard rôti, oie, roastbeef, beefsteak, échine de porc grillée et langue.

SAUCE CHARCUTIERE

500 ml de sauce espagnole
2 oignons de grosseur moyenne, hachés menu
50 g de beurre
40 ml de vinaigre de bonne qualité
une gousse d'ail
150 ml de vin blanc sec
5 c.à c. de moutarde
3 c.à c. de sucre
10 à 12 petits cornichons, au vinaigre, coupés en petits morceaux

Faites revenir les oignons dans le beurre, jusqu'à transparence. Ajoutez alors le vin et le vinaigre. Sans couvercle, laissez réduire de moitié et incorporez ensuite la sauce espagnole. Laissez mijoter la réduction, à feu doux, pendant 20 minutes. Mélangez-y le sucre et la moutarde, ainsi que les petits cornichons hachés. Assaisonnez à volonté.

Accompagne: les entrées sous forme de croquettes, les morceaux de viandes dont l'intérieur rest rouge ou rose, telles que beefsteak, roastbeef et filet de porc.

SAUCE DEMI-GLACE

250 ml de sauce espagnole
300 ml de bouillon de viande de boeuf corsé (de préférence pas de cube)
4 c.à s. de gelée de viande réduite
60 ml de sherry (fino)

Prenez une casserole ou poêle à fond épais et versez-y la sauce espagnole en même temps que le bouillon de viande et la gelée de viande. Mélangez bien le tout. Sans couvercle, amenez à ébullition et laissez réduire de moitié. Passez la sauce dans une casserole propre. Sur feu doux, ajoutez ensuite le sherry avant de servir. Assaisonnez selon goût. Cette sauce ne peut plus bouillir.

Accompagne: beefsteak, roastbeef, échine ou pointe de porc, gibier.

Mayonnaise au cresson (p.38)

SAUCE MADERE

*500 ml de sauce "demi-glace",
sans sherry
250 ml de Madère*

La préparation est simple: après avoir passé la sauce "demi-glace" ajoutez le vin de Madère, mais veillez à ne pas faire bouillir le mélange en le réchauffant. Ajoutez sel et poivre si nécessaire.

Accompagne: gibier, queue de boeuf braisée, langue de veau.

SAUCE PERIGUEUX

500 ml de sauce "demi-glace"
sans sherry
250 ml de vin de Madère
2 c.à s. de truffes finement
hachées

Incorporez le Madère à la sauce "demi-glace". Réchauffez la sauce sans l'amener à ébullition. Ajoutez les truffes. Assaisonnez si nécessaire.
Accompagne: omelette, croquettes, poulet rôti, carbonnades.

SAUCE POIVRADE

500 ml de sauce espagnole
3 échalottes, finement hachées
175 ml de vinaigre de vin
100 ml de vin rouge (aigre)
15 grains de poivre noir
concassés

Dans une casserole, mélangez les morceaux d'oignons, le vinaigre de vin et le vin rouge. Laissez réduire de moitié. Ajoutez alors la sauce espagnole et laissez mijoter un quart d'heure ou plus. Incorporez ensuite les grains de poivre concassés et laissez mijoter encore 7 minutes environ. Goûtez la sauce et ajoutez éventuellement du poivre. Si nécessaire réchauffez la sauce doucement.
Accompagne: chevreuil, cuisse de lièvre, lapin, viande de boeuf grillée.

De la sauce au poivre dérivent quelques autres recettes, dont nous vous donnons ici deux d'entre elles:

SAUCE REFORME

500 ml de sauce au poivre
3 blancs d'oeufs
3 cornichons au vinaigre
50 g de langue cuite émincée
3 truffes, en fines tranches
125 ml de Porto rouge
2 c.à s. de gelée de groseilles rouges

Ajoutez à la sauce au poivre le Porto et la gelée de groseilles. Laissez mijoter, sans couvercle, pendant 20 minutes. Entre-temps, laissez se solidifier les blancs d'oeufs dans un bol au bain-marie. Les tranches de langue cuite, de champignons et des blancs d'oeufs doivent avoir une épaisseur de 1 à 1 1/2 mm. Incorporez-les à la sauce et amenez à bonne température. Goûtez et assaisonnez si nécessaire.
Accompagne: agneau mais aussi rôti de porc et de boeuf, beefsteak, roastbeef.

SAUCE DIANE

500 ml de sauce au poivre
175 ml de crème non fouettée

Après avoir passé la sauce au poivre, ajoutez la crème non fouettée. Salez et poivrez si nécessaire.
Accompagne: viandes rôties, viandes grillées, cuisse de lièvre, chevreuil, lapin.

Les sauces émulsionnées

Les sauces émulsionnées sont des sauces dans lesquelles sont ajoutés des jaunes d'oeufs qui servent de liant avec les autres ingrédients. Les deux sauces de base desquelles dérivent les autres sauces, sont la sauce hollandaise et la sauce mayonnaise. La sauce hollandaise se prépare avec quatre ingrédients, à savoir: beurre, eau, jus de citron et jaunes d'oeufs; la mayonnaise à partir de: jaunes d'oeufs, huile et vinaigre ou jus de citron, ou un mélange de vinaigre et de jus de citron. Les sauces qui en dérivent s'obtiennent à partir des recettes de base auxquelles sont ajoutés d'autres éléments.

Réussir une sauce est tout un art. Soyez vigilante et au début, ne vous laissez surtout pas décourager par un échec. Les causes des échecs tiennent parfois à peu de choses: la hâte en est souvent une des causes. Veillez donc à consacrer suffisamment de temps à la préparation de vos sauces émulsionnées. Utilisez les quantités exactes nécessaires à la préparation.

Sauce hollandaise

Bien que la mayonnaise soit aussi une sauce sensible, qui par suite d'une erreur peut tourner, la sauce hollandaise est probablement la plus difficile des deux à réussir. Comme déjà dit, elle se prépare principalement avec les éléments suivants: beurre, eau, jaunes d'oeufs et jus de citron ou vinaigre. Pour éviter autant que possible de la rater, suivez quelques conseils pour la préparation:

a. les jaunes d'oeufs doivent être réchauffés. Ainsi donc: ne les travaillez pas alors qu'ils sortent du réfrigérateur; laissez-les au moins un jour à température ambiante.

b. L'eau et le vinaigre ou jus de citron doivent être tièdes. Le beurre doit être non salé.

c. Evitez l'emploi d'ustensile métallique lors de la préparation de la sauce. A la place d'un fouet métallique, utilisez deux fourchettes en bois (couverts à salade) et remuez la sauce, qui sera préparée au bain-marie dans un plat en terre cuite ou en faïence.

d. Le beurre à utiliser doit être clarifié, c'est-à-dire débarrassé de toutes particules de protéines. Réchauffez-le à feu doux, dans une casserole en acier inoxydable, ou anti-adhésive. Quant le beurre est fondu, retirez la casserole du feu. Laissez reposer 5 minutes de façon à ce qu'un dépôt se forme dans le fond. Prenez maintenant un plat; recouvrez-le d'une étamine et versez le beurre. Le liquide sirupeux recueilli dans le plat doit être de coloration jaune clair.

e. Si, dans une recette, vous devez utiliser du beurre fondu, celui-ci doit être bien fondu mais non brûlant. Laissez-le tiédir, sans le laisser se figer à nouveau.

f. Veillez à amener l'eau du bain-marie à ébullition, mais ne laissez pas bouillir.

g. Si la sauce a tendance à tourner, ajoutez-y, en fouettant, 4 à 6 cuillerées de crème fraîche.

h. Dès que la sauce a une consistance épaisse et lisse, la servir immédiatement. Elle sera donc toujours présentée tiède.

Ces conseils sont valables pour autant que la recette à suivre ne soit pas différente.

SAUCE HOLLANDAISE CLASSIQUE

200 g de beurre clarifié, non salé
6 jaunes d'oeufs
120 ml d'eau bouillante
40 ml de vinaigre de vin
40 ml de jus de citron
1 c.à c., à ras, de sucre
poivre et sel selon goût

Faites fondre le beurre et laissez tiédir. Mettez les jaunes d'oeufs dans un plat, placé dans un poêlon d'eau chaude frémissante. Ajoutez 40 ml d'eau bouillante (2 c.à s.) et fouettez jusqu'à ce que les jaunes s'épaississent. Ajoutez encore 2 cuillerées d'eau bouillante et fouettez jusqu'à épaississement. Répétez l'opération avec les deux dernières c.à s. Entre-temps, chauffez le vinaigre de vin et le jus de citron; laissez tiédir. Versez ce mélange par petits filets, tout en fouettant, dans le mélange jaunes/eau. Par petites parcelles, ajoutez-y le beurre fondu, toujours en fouettant. Dès épaississement de la sauce, versez lentement le reste du beurre sans cesser de fouetter. Ajoutez sucre, sel et poivre.
Remarques: si la sauce est trop légère, réchauffez un peu l'eau sous le plat (sans la faire bouillir); si la sauce est trop épaisse, ajoutez deux c.à s. d'eau froide (fouettez!).
Servir la sauce immédiatement.
Accompagne: saumon poché, truite saumonée, langue, poulet, chou-fleur, brocoli, asperges, artichauts, avocats.

SAUCE HOLLANDAISE
PREPAREE AU MIXER

300 g de beurre fondu
80 ml de jus de citron
± 2 c.à c. de sucre, selon goût
1 c.à c., à ras, de sel
poivre selon goût

Dans une casserole, chauffez le beurre jusqu'à ce qu'il devienne mousseux. Chauffez aussi le jus de citron, mais sans le faire bouillir. Dans le mixer, mettez lez jaunes d'oeufs, le sucre, le poivre et le sel. Ajoutez le jus de citron chaud et mélangez le tout à grande vitesse durant 6 secondes. Enlevez le couvercle et versez le beurre en filet mince, en laissant l'appareil tourner à grande vitesse. En 35 secondes, vous obtenez une sauce lisse et prête. Si elle est trop épaisse, ajoutez, par cuillerée, 4 à 6 c.à c. d'eau chaude.
Servir immédiatement.
Accompagne: saumon poché, truite saumonée, langue, poulet, chou-fleur, brocoli, asperges, artichauts, avocats.
Elle réussit pratiquement toujours, mais elle n'est pas aussi légère que faite à la main; elle est cependant tout aussi délicieuse.

Les sauces dérivant de la sauce hollandaise peuvent être préparées des deux façons - soit fouettées à la main, soit dans le mixer. Peu importe la manière choisie; cependant, la sauce préparée à la main sera plus légère.
En ajoutant certains ingrédients à la sauce hollandaise, on obtient d'autres recettes. En voici quelques-unes.

Skordalia grecque (p.39)

SAUCE MOUSSELINE

500 ml de sauce hollandaise
8 bonnes c.à s. de crème fouettée
ferme

Chauffez la sauce hollandaise. Juste avant de servir, ajoutez la crème avec précaution.
Accompagne: asperges, brocoli, chou-fleur, artichauts, poulet, saumon poché, truite saumonée, soufflés, poisson en daube.

SAUCE BAVAROISE

500 ml de sauce hollandaise
6 c.à c. de raifort râpé

Avant de servir, ajoutez le raifort à la sauce, en mélangeant doucement.

Accompagne: les poissons tels que maquereau, truite, le roastbeef froid et la langue de boeuf froide.

SAUCE MALTAISE

500 ml de sauce hollandaise
120 ml de jus d'oranges sanguines

Chauffez le jus d'orange après l'avoir passé. Avant de servir, ajoutez à la sauce le jus et le zeste râpé. Mélangez doucement.

Accompagne: veau, sole ou plie en daube, et chou-fleur, asperges et brocoli.

SAUCE BEARNAISE

160 ml de vin blanc aigre
80 ml de vinaigre à l'estragon
2 échalotes, finement hachées
2-3 brins de persil
6 c.à c. d'eau chaude

La sauce béarnaise se prépare de la même manière que la sauce hollandaise excepté qu'un des ingrédients diffère. Au lieu du jus de citron, utilisez un autre ingrédient acide. Amenez à ébullition, le vin blanc, le vinaigre à l'estragon, les échalotes et le persil mélangés. Laissez bien bouillir et réduire le mélange de moitié, environ 4-6 c.à s. Passez le mélange et ajoutez-y 6 cuillerées à soupe d'eau chaude.

Préparez une sauce hollandaise selon une des recettes précédentes et ajoutez-y le liquide préparé à la place du citron. Si vous préparez la sauce au mixer, ajoutez le liquide encore bien chaud, car tous les ingrédients sont plus chauds que lorsqu'ils sont fouettés à la main. Avant de servir votre sauce béarnaise, ajoutez-y une bonne c.à s. d'estragon frais.

Accompagne: steak grillé, roastbeef, rognons grillés, poissons pochés et en daube, mets aux oeufs.

SAUCE FOYOT

500 ml de sauce béarnaise
5 c.à s. de gelée de viande

Peu avant de servir la sauce béarnaise, mélangez à celle-ci la gelée de viande réchauffée.

Accompagne: toutes les viandes.

SAUCE CHORON

500 ml de sauce béarnaise
6 c.à s. de purée de tomates

La purée de tomates est mélangée avec de l'estragon finement haché. Avant de servir, ajoutez ce mélange à la sauce et mélangez.

Accompagne: poisson en daube, surtout le saumon, plats aux oeufs, beefsteak grillé et roastbeef.

SAUCE MEDICIS

500 ml de sauce béarnaise
40 ml de porto rouge
2 c.à s. de purée de tomates

Mélangez la purée de tomates au porto préalablement tiédi. Ajoutez ce mélange à la sauce juste avant de la servir.

Accompagne: beefsteak et roastbeef.

SAUCE PALOIS OU A LA MENTHE

500 ml de sauce béarnaise, préparée avec du vinaigre de vin au lieu de vinaigre à l'estragon
8 petites feuilles de menthe fraîche à faire cuire dans le vin
8 petites feuilles de menthe fraîche à mélanger dans la sauce

Préparez la sauce béarnaise comme précédemment, en remplaçant le vinaigre à l'estragon par du vinaigre de vin. Au moment de la cuisson, ajoutez-y 8 petites feuilles de menthe fraîche. Avant de servir la sauce prête, ajoutez-y la même quantité de feuilles de menthe coupées en petits morceaux.

Accompagne: agneau, poulet et dinde.

Mayonnaise

La différence entre une mayonnaise et toutes les sauces déjà citées jusqu'ici consiste dans le fait que la préparation de la mayonnaise n'exige aucune cuisson. Les ingrédients nécessaires pour préparer la mayonnaise sont: huile, jaune d'oeuf et jus de citron. Ce dernier ne peut jamais être remplacé par du vinaigre, du moins pas par du vinaigre ordinaire. Le vinaigre de cidre, en vente surtout dans les magasins de diététique, est tout indiqué pour la préparation de la mayonnaise. La mayonnaise a aussi tendance à ne pas prendre lors de sa préparation. Une des causes, c'est d'être trop souvent pressé.

Ci-dessous, nous vous donnons quelques règles à suivre pour éviter autant que possible que votre mayonnaise ne tourne:

a. Ne faites jamais de mayonnaise lorsqu'il fait venteux dehors.
   C'est assez surprenant, mais c'est ainsi!
b. Les jaunes d'oeufs et l'huile doivent être à la température ambiante.
c. Mettez les jaunes d'oeufs devant servir à la préparation, dans un bol ou plat qui auparavant sera rincé à l'eau chaude, ou plongé dans l'eau chaude, et essuyé soigneusement.
d. Pliez en quatre un torchon humide et placez-le sous le bol dans lequel vous fouettez votre mayonnaise. De cette manière le bol ne glissera pas.
e. lorsque vous ajoutez l'huile à la mayonnaise, versez-la goutte à goutte. Après y avoir ajouté la moitié de l'huile, si votre mayonnaise prend, alors versez en filet le restant de l'huile, tout en continuant à fouetter. Fouetter est absolument indispensable; vous fouettez d'une main et de l'autre, vous ajoutez les ingrédients.

Si la mayonnaise tourne, mettez un autre jaune d'oeuf dans un bol propre passé sous l'eau chaude et versez goutte à goutte la mayonnaise ratée en fouettant avec énergie.

MAYONNAISE CLASSIQUE

4 gros jaunes d'oeufs
1 c.à c. à ras de sel
2 c.à c. à ras de moutarde fine
1 c.à c., à ras, de sucre
300 ml d'huile d'olive de 1ère pression
300 ml d'huile de maïs ou de tournesol
4 c.à c. de vinaigre de cidre
80 ml de jus de citron pressé et passé
6 c.à c. d'eau bouillante

Dans un bol réchauffé sous eau chaude et bien essuyé, mettez les jaunes d'oeufs à température ambiante, additionnés de sel, sucre et moutarde, ainsi que de 4 c.à c. de jus de citron. Battez le tout fermement. Versez-y ensuite goutte à goutte la moitié de l'huile. Dès que la mayonnaise s'épaissit, ajoutez encore 2 c.à c. de jus de citron; tout en ne cessant pas de fouetter, versez-y en filet le restant de l'huile.
Ajoutez le jus de citron et le vinaigre de cidre et enfin l'eau bouillante.
Accompagne: salades, fritures, saumon fumé, beefsteak, viande grillée, choux de Bruxelles froids, chou-rave froid (assez original, mais à essayer!) et plats aux oeufs.

MAYONNAISE PREPAREE AU MIXER

2 gros oeufs
1 c.à c. de moutarde
1 c.à c. de sel
1 c.à c. de sucre
300 ml d'huile d'olive de 1ère pression
300 ml d'huile de tournesol
80 ml de jus de citron pressé et passé
80 ml de vinaigre de cidre
2 c.à s. d'eau bouillante

Contrairement à la sauce hollandaise, la mayonnaise préparée au mixer est plus légère que fouettée à la main. Dans le mixer, mettez les oeufs, la moutarde, le sel et le sucre et 8 c.à s. d'huile d'olive. Fermez avec le couvercle et faites tourner l'appareil jusqu'à obtention d'un mélange homogène. Ralentissez la vitesse du mixer et versez en filet 120 ml d'huile d'olive et le jus de citron. Laissez tourner jusqu'à ce que le mélange soit ferme et lisse. Ensuite versez-y le restant de l'huile et le vinaigre de cidre. Laissez tourner l'appareil jusqu'à ce que la sauce soit bien épaisse. Transvasez la sauce dans un plat et ajoutez-y l'eau bouillante en remuant. Si la mayonnaise est trop épaisse, allongez-la avec 1 c.à s. d'eau bouillante.

Avec la mayonnaise préparée selon les recettes précédentes, vous pouvez, comme d'habitude, faire des sauces diverses. Nous vous en donnons quelques recettes.

MAYONNAISE AU CONCOMBRE

1/2 concombre pelé et râpé, bien dégorgé
4 c.à s. d'ail finement haché
1 c.à s. de persil finement haché

Mayonnaise préparée selon une des recettes de base. Mélangez ensemble concombre, ail et persil. Incorporez ce mélange à la mayonnaise.
Accompagne: plats de poissons, surtout le saumon.

MAYONNAISE DE CABOUL

poudre de curry

Ajoutez à la mayonnaise, préparée selon une des recettes de base, de la poudre de curry, selon le goût.
Accompagne: viande de porc, poulet froid, oeufs durs.

Sauce aux groseilles à maquereaux (p.40)

MAYONNAISE MAXIMILIENNE

*6 c.à s. de cornichons au vinai-
gre, finement haché
2 c.à s. de persil, finement haché
4 c.à s. de câpres, finement
hachés
2 c.à s. de purée de tomates
un filet de vin blanc aigre*

Mayonnaise préparée selon une des recettes précédentes.
Mélangez tous les ingrédients.
Ajoutez le vin blanc selon le degré de légèreté de la may-
onnaise que vous désirez obtenir.

MAYONNAISE CHANTILLY

300 ml de crème fouettée ferme.

Ajoutez la crème fraîche à une mayonnaise préparée selon une des recettes données.

Accompagne: oeufs, jambon, poisson froid, poulet froid, avocat, asperges et aussi salade de fruits.

MAYONNAISE RUSSE

125 ml de crème fouettée ferme
2 c.à s. de raifort frais, râpé
125 ml de sauce tomate ketchup
2 c.à s. d'échalotes finement hachées
5 c.à s. de caviar

Mayonnaise selon une des recettes précédentes.
Mélangez à la mayonnaise le raifort et la sauce tomate ketchup. Ajoutez-y les échalotes hachées et le caviar, ensuite la crème fouettée ferme.

Accompagne: écrevisse, crabe, moules, oeufs durs, poulet froid, laitue pommée additionnée de tomates, concombre etc.

MAYONNAISE AU CRESSON

une botte de cresson

Mélangez à la mayonnaise du cresson (délicieuse aussi avec de la cressonnette).

Accompagne: tous les plats froids de poissons, mais agrémente aussi la salade de pommes de terre et de concombre et les oeufs durs.

MAYONNAISE AUX FINES HERBES

4 c.à s. de persil finement haché
4 c.à s. de cerfeuil
4 c.à s. de ciboulette
une bonne poignée de cresson, finement haché

Dans un tamis, mettez toutes les fines herbes et versez par-dessus de l'eau bouillante. Laissez bien égoutter et mélangez-les ensuite à la mayonnaise préparée selon la recette de base.

Accompagne: saumon fumé et autres poissons consommés froids.

MAYONNAISE LOUIS

5 c.à s. de sauce chilienne
5 c.à s. de crème fouettée
1 poivron vert, finement haché
2 c.à s. de petits oignons, finement hachés
2 c.à s. de jus de citron

Mayonnaise préparée selon une des recettes précédentes.
Mélangez tous les ingrédients à la mayonnaise.

Accompagne: crabe, écrevisse, crevettes, salade pommée.

SAUCE COCKTAIL

4 c.à c. de sauce au raifort
3 c.àc. de sauce anglaise (Worcestershiresauce)
4 c.à s. de purée de tomates
4 gouttes de tabasco

Mayonnaise préparée selon une des recettes précédentes.
Mélangez doucement à la mayonnaise la sauce au raifort, la purée de tomates, la sauce anglaise et les gouttes de tabasco.

Accompagne: crevettes, écrevisse, crabe, saumon fumé et thon, oeufs durs.

AILLOLI OU SAUCE A L'AIL

4 gousses d'ail

A la mayonnaise préparée selon une des recettes de base précédentes, ajoutez les gousses d'ail pilé, et mélangez bien.

Accompagne: pommes de terre cuites, betteraves, poisson, viande de boeuf, tomates.

SAUCE REMOULADE

2 c.à c. de moutarde
1/2 c.à s. de persil
1/2 c.à s. de cerfeuil
1/2 c.à s. d'estragon
6 filets d'anchois
1 c.à s. de cornichons au vinaigre
4 c.à c. de câpres

Mayonnaise préparée selon une des recettes précédentes. Mélangez tous les ingrédients finements hachés, à la mayonnaise.

Accompagne: écrevisse, crabe, moules, viande froide, dinde et poulet froids, oeufs durs.

SKORDALIA GRECQUE

1 pain blanc coupé sans croûte
4 gousses d'ail
une petite tasse de lait chaud
2 jaunes d'oeufs moyens
2 c.à c. d'eau
300 ml d'huile d'olive de 1ère pression
20 ml de jus de citron et 2 c.à s. de jus supplémentaires
50 g d'amandes pilées
30 g de chapelure
1 c.à s. de persil, finement haché

Trempez le pain blanc dans le lait; pressez-le et déposez-le dans un plat. Incorporez-y, avec une cuillère en bois, les jaunes d'oeufs et pilez l'ail par-dessus. Mélangez jusqu'à obtention d'une masse homogène. Salez. Ajoutez ensuite, goutte à goutte, en fouettant, la moitié de la quantité d'huile d'olive. Après épaississement de la sauce, versez-y, par filets, l'huile restante, en fouettant toujours. Mélangez enfin l'eau et le jus de citron, excepté les 2 c.à s. supplémentaires. Incorporez ensuite les amandes, la chapelure, les 2 cuillerées de jus de citron restant et le persil. Mélangez bien le tout.

Accompagne: pommes vapeur, betteraves, poissons, boeuf, tomates.

SAUCE A L'AVOCAT
(PREPAREE AU MIXER)

2 grands avocats, bien mûrs
160 ml d'huile d'olive de 1ère pression
2 gros oeufs
1 c.à c. de sel
1 c.à c. de sucre
une pincée de poivre blanc moulu
1 c.à c. de moutarde
le jus de 2 gros citrons
80 ml de crème

Nettoyez les avocats et coupez-les en petits morceaux. Mélangez-les au mixer avec l'huile, les oeufs, poivre, sel, sucre et moutarde et le jus de citron. Laissez tourner l'appareil durant 15 secondes jusqu'à ce que le mélange s'épaississe et devienne crémeux. Versez la sauce dans un plat et ajoutez-y la crème.
Servir immédiatement.

Accompagne: salades mélangées, saumon, poulet froid, sole, oeufs durs, viande de veau froide.

Sauces liées par un ingrédient qui, à la cuisson, se réduit en marmelade

Il est clair que ces sauces sont principalement à base de fruits. Certaines d'entre elles sont des sauces classiques, surtout dans un pays comme l'Angleterre où elles sont très souvent présentées à table. Les recettes les plus courantes vous sont données ci-après.

SAUCE AUX CANNEBERGES

250 g de canneberges
150 g de sucre
le jus d'un demi-citron
100 ml d'eau
une pincée de cannelle

Dans une casserole, mélangez les canneberges et le sucre. Ajoutez-y l'eau et le jus de citron. Cuire à feu vif; attendre que les baies éclatent avec bruit. Remuez avec la cuillère en bois. Laissez mijoter à petit feu (10 minutes). Chaude ou froide, cette sauce est délicieuse.
Accompagne: poulet, dinde, oie, canard, porc et aussi côtelette de veau. Froide, cette sauce est exquise sur la glace.

SAUCE AUX GROSEILLES A MAQUEREAUX

250 g de groseilles à maquereaux
équeutées
50 ml d'eau
50 g de sucre
1 c.à c. de zeste de citron râpé
20 g de beurre

Faites cuire les groseilles à maquereaux avec l'eau et le sucre; laissez mijoter à feu doux jusqu'à réduction en marmelade. Ajoutez le jus de citron et le beurre et mélangez vivement. Servir chaud ou froid.
Accompagne: poulet, canard, poisson.

SAUCE A LA MENTHE

8 c.à s. de menthe finement
hachée
80 ml d'eau bouillante
40 g de sucre
80 ml de vinaigre de vin

Cette sauce se prépare sans cuisson. Dans un plat en verre, mélangez la menthe avec l'eau et le sucre. Remuez bien jusqu'à ce que le sucre soit dissous complètement. Ajoutez ensuite le vinaigre de vin et mélangez bien.
Accompagne: agneau, choux de Bruxelles, veau froid.

SAUCE AUX TOMATES

500 g de tomates fraîches pelées
40 ml d'huile de tournesol
2 gros oignons hachés
2 gousses d'ail
125 ml d'eau
2 feuilles de laurier
1 c.à c. de clous de girofle en
poudre
une pincée de basilic (ou 1 c.à c.
de basilic frais, haché)
1 c.à c. de sel
1 c.à s. de jus de citron

Dans une grande poêle à frire, faites brunir l'ail et les oignons dans l'huile.
Ajoutez-y les tomates coupées en rondelles.
Mélangez et faites brunir légèrement les morceaux de tomates dans la poêle, après y avoir versé l'eau.
Passez la sauce au tamis; ajoutez y les épices, le sel et le jus de citron.

Sauce chinoise aigre-douce aux fruits (p.46)

SAUCE AUX CANNEBERGES ET AUX POMMES

200 g de pommes reinettes, épluchées et coupées en dés
200 g de canneberges
300 g de sucre
200 ml d'eau
1 c.à s. de jus de citron

Dans une casserole, mélangez les morceaux de pommes reinettes, les canneberges et le sucre. Ajoutez-y l'eau; laissez cuire à feu vif jusqu'à éclatement des baies (3 minutes); baissez la flamme. Ajoutez le jus de citron et laissez mijoter le mélange à feu doux pendant encore 10 minutes. *Accompagne:* canard, oie, porc grillé.

Sauces liées à l'arrow-root

L'arrow-root est un liant végétal qui a la propriété de rester limpide et de ne donner aucun goût. Voici deux exemples de recettes de sauces douces pour accompagner les puddings et la glace.

SAUCE AU JUS DE FRUITS

225 ml de jus de fruits frais
1 bonne c.à s. d'arrow-root
120 ml d'eau
40 ml de jus de citron
40 ml de sherry (doux)

Dans une casserole, mélangez l'arrow-root délayé dans un peu d'eau, le jus de fruits, le jus de citron et le restant d'eau. Amenez le tout à ébullition en remuant doucement. Retirez du feu lorsque vous obtenez une sauce bien liée. Incorporez-y le sherry.

SAUCE A LA FRAMBOISE

250 g de framboises fraîches
1/2 c.à s. d'arrow-root
1 c.à s. d'eau froide
1 c.à s. de jus de citron
50 g de sucre fin

Faites cuire les framboises avec l'eau. Réduisez-les en compote aussi fine que possible et passez au tamis. Ajoutez-y le jus de citron et le sucre; mélangez jusqu'à dissolution du sucre. Délayez l'arrow-root dans un peu d'eau et ajoutez au mélange. Laissez bien cuire en n'arrêtant pas de remuer. Retirez du feu après liaison parfaite du mélange et ajoutez-y le jus de citron. Servir froid.

Sauces Italiennes classiques

Depuis longtemps aussi, la sauce béchamel et la mayonnaise sont connues en Italie. Grands amateurs d'ail, les Italiens ne préparent la mayonnaise qu'avec du jus de citron ou du vin blanc et de l'ail pilé. Nous ne voulons pas vous priver d'une seule recette.

SAUCE ITALIENNE AUX ANCHOIS

une petite boîte de 50 g env. de
filets d'anchois à l'huile d'olive
(les anchois salés ordinaires en
boîte ne conviennent pas)
40 ml d'huile d'olive
25 g de beurre
2 gousses d'ail
5 c.à s. de persil finement haché
1/2 c.à s. de basilic frais, finement haché
un peu de poivre noir moulu

Dans une grande casserole, chauffez l'huile et le beurre. Laissez égoutter les anchois sur papier et ajoutez-les, coupés en morceaux pas trop petits, ainsi que les aromates frais.
Mélangez et ajoutez les gousses d'ail pilées.
Faites bien chauffer le tout; poivrez et salez selon goût.
Accompagne: agneau et pâtes, mais nappez avec parcimonie car la sauce est très salée.

PESTO

50 g de graines de pin
50 g de fromage pecorino (le parmesan convient aussi)
50 g de basilic frais
2 gousses d'ail
2 c.à s. de ciboulette finement hachée
25 g d'amandes pilées
75-80 ml d'huile d'olive de 1ère pression
une pincée de poivre

Dans un mortier, mettez tous les ingrédients sauf l'huile et broyez-les pour autant qu'ils ne soient pas hachés ou moulus. Pilez-les finement. Vous obtenez une masse liée à laquelle vous ajoutez l'huile goutte à goutte.
Accompagne: pâtes italiennes ou ajouter à la soupe.

SAUCE BOLOGNESE

2 c.à c. d'huile d'olive
25 g de beurre
100 g de lard maigrè coupé en dés
1 gros oignon, finement haché
225 g de steak tartare
3 c.à s. de purée de tomates
le zeste d'un citron râpé
300 ml de bouillon de viande
150 ml de vin blanc aigre
100 ml de crème
une c.à s. de sucre brun
une pincée de noix de muscade
une branche de céleri blanc finement haché
2 petites carottes râpées

Dans une grande casserole basse, réchauffez l'huile et le beurre.
Faites-y dorer le lard, les petites carottes, l'oignon et le céleri. Avec la fourchette, écrasez le tout; laissez encore brunir quelque peu.
Ajoutez la purée de tomates, le sucre, le zeste de citron râpé, la noix de muscade, le bouillon, le vin, le sel et le poivre.
Amenez le tout à ébullition, tout en remuant.
Ensuite laissez mijoter une heure à feu doux, la casserole couverte. Remuez de temps à autre.
Accompagne: lasagne, spaghetti, cannelloni, macaroni et pâtes diverses.

AILLOLI ITALIEN

40 ml d'huile d'olive de 1ère pression
40 g de beurre
3-4 gousses d'ail
une c.à s. de persil finement haché
1/2 c.à s. de basilic finement haché
1/2 c.à c., à ras, de sel
une pincée de poivre

Réchauffez le beurre et l'huile; ajoutez-y tous les ingrédients excepté l'ail; baissez la flamme et mélangez bien le tout.
Ajoutez ensuite au mélange l'ail finement pilé et remuez bien.
Laissez mijoter la sauce encore 5 minutes.
Accompagne: les pâtes cuites à point.

"SALSA ALLA PIZZAIOLA"

20 ml d'huile d'olive
3 gousses d'ail
750 g de tomates pour la soupe, bien mûres et pelées
1 1/2 c.à s. de persil coupé
1/2 c.à s. de basilic frais, coupé
une pincée d'origan séché
une c.à c., à ras, de sel
1 1/2 c.à c. de sucre

Coupez les tomates en petits morceaux.
Ajoutez tous les ingrédients, excepté l'ail, et amenez le tout à ébullition.
Ajoutez ensuite l'ail haché menu et laissez mijoter la sauce, à feu doux, durant un petit quart d'heure.
Accompagne: les pâtes, mais aussi nappée sur la pizza.

SAUCE ITALIENNE AUX CHAMPIGNONS

15 ml d'huile d'olive de 1ère pression
25 g de beurre
une gousse d'ail
une petite branche de céleri blanc, coupé en morceaux
300 g de champignons
3 c.à s. de persil frais, finement haché
une c.à s. de farine (à ras)
125 ml de bouillon de veau
une c.à c., à ras, de poudre de coriandre
sel et poivre à volonté

Chauffez le beurre et l'huile. Ajoutez l'oignon et l'ail pilé. Faites rissoler, à feu modéré. Mélangez ensuite le céleri et le persil et faites rissoler encore quelques minutes. Ajoutez ensuite les champignons et la farine délayée dans un peu de bouillon. Ensuite ajoutez le reste du bouillon et la poudre de coriandre. Amenez le mélange à ébullition tout en remuant. Laissez mijoter la sauce pendant 15 minutes environ, sans cesser de remuer régulièrement. Assaisonnez selon goût.
Accompagne: pâtes, agneau, veau et poulet.

SAUCE POUR PIZZA

1/2 oignon
1 gousse d'ail
2 c.à s. d'huile
1 petite carotte rapée
1 poivron vert, finement haché
1 feuille de laurier
1 c.à c. de thym séché
1 pointe de basilic
1 c.à s. de persil haché
1 pointe de sucre brun
poivre et sel
1 boîte de tomates pelées (500 g)
1 boîte de purée de tomates

Coupez finement l'oignon et le faire frire dans l'huile avec l'ail.
Retirez l'ail de la casserole et ajoutez la carotte, le poivron, les épices et le laurier. Mélangez et ajoutez par après les tomates pelées et la purée. Salez et poivrez selon convenance.
Laissez mijoter la sauce, 30 min. sur feu doux. Réduisez éventuellement les morceaux de tomates.
C'est une très bonne sauce pour les pizzas, mais également pour les spaghettis. Dans ce cas, il faut délayer la sauce avec du bouillon. Cette sauce se conserve aisément au surgélateur.

Sauces Orientales

Dans les pays orientaux, il existe des sauces délicieuses s'accordant au climat et aux épices qui sont consommées là-bas. Beaucoup de ces recettes sont passées en Europe occidentale et ceci grâce à la multiplication de restaurants chinois et indiens.
Pourtant il faut dire que par rapport à nos pays, on ne consomme pas autant de repas chauds (sambalans) en Indonésie où l'on considère que les "pedis" constituent le sommet de la cuisine indonésienne. En fait, la petite c.à c. de "sambal" dans le riz donne uniquement parfum et saveur et ne doit pas brûler la gorge. Il est vrai que le meilleur remède sera une petite gorgée d'eau minérale gazeuse.
Mais les sauces indiennes ont aussi fait leur entrée. Il n'entre pas dans le cadre de ce livre de donner un choix de recettes, mais quelques-unes seulement. Voici quelques recettes orientales faciles à réaliser.

Relish aux pêches (p.51)

Sauces Chinoises

Dans la cuisine chinoise, on s'abstient de plats relevés, contrairement à ce qui se passe en Indonésie. Là, c'est la saveur qui occupe la première place. Tous les ingrédients ne sont pas disponibles en Occident, de telle sorte que des moyens de remplacement sont recherchés.

SAUCE CHINOISE AU HACHIS

30 ml d'huile d'amandes
1/2 poireau à étuver
2 c.à s. de vinaigre
3 brins de céleri en branche,
haché grossièrement
2 gousses d'ail
40 ml de ketjap asin
250 g de hachis de porc maigre
(un petit morceau de jambon à
faire moudre par le boucher)
1 gros oignon, coupé en petits
morceaux
une pincée de djahe, en poudre
1 c.à s. de sucre de canne brun
150 ml de bouillon de poulet

Chauffez l'huile dans la casserole. Baissez la flamme et laissez-y rissoler le poireau et le céleri, pendant 5 minutes. Pilez l'ail par-dessus. Retirez les légumes de l'huile (laissez-les bien égoutter sur l'écumoir et conservez-les pour la soupe par exemple). Ecrasez le hachis avec la fourchette dans l'huile; saupoudrez de poudre de djahe (gingembre en poudre). Ajoutez l'oignon et laissez bien cuire le hachis et l'oignon tout en remuant. Ajoutez maintenant le bouillon, le ketjap asin, le sucre brun et le vinaigre. Tout en mélangeant, laissez s'évaporer le liquide à feu modéré. N'ajoutez pas de sel: le ketjap asin en contient suffisamment.

Accompagne: riz, millet, mie cuit (pâte chinoise).

SAUCE CHINOISE AIGRE-DOUCE AUX FRUITS

40 ml d'huile d'amandes
1 petit poireau à étuver, coupé en
rondelles
quelques brins de céleri en côtes
1 gousse d'ail
4 noix de gingembre, pilées
1 c.à s. de sirop de gingembre
1 boîte de 1/2 litre de cocktail
de fruits
2 c.à s. de jus de citron
4 c.à s. de jus de la boîte de fruits
une pointe de clou de girofle en
poudre
1 c.à s., à ras, de Maïzena
sel et poivre noir

Dans une casserole, chauffez l'huile et faites-y rissoler les morceaux de poireau et le céleri; entre-temps pressez l'ail par-dessus. Retirez les légumes avec l'écumoir et égouttez-les.

Ajoutez tous les autres ingrédients, excepté la Maïzena et le cocktail de fruits. Laissez mijoter 10 minutes. Le poireau et le céleri peuvent être conservés pour un autre plat (dans la soupe).

Juste avant de servir, liez la sauce avec la Maïzena. Ajoutez maintenant le cocktail de fruits et réchauffez le tout quelque peu.

Accompagne: poulet rôti, riz, sateh de porc, pointe ou échine de porc, filet de porc, poitrine de dinde.

Sauce Thailandaise

SAUCE THAILANDAISE PIQUANTE

1 c.à s. d'huile de tournesol
4 rondelles de racine de gingembre
1 gousse d'ail
1 lombok rouge, finement haché
4 c.à s. de jus de citron
4 c.à s., à ras, de sucre de canne
brun
125 ml d'eau
2 à 3 jeunes oignons avec leur
verdure
1 c.à s. de ketjap asin
1 c.à s., à ras, de Maïzena

Epluchez la racine de gingembre, coupez-la en rondelles et hachez celles-ci. Dans une casserole, pilez l'ail dans l'huile et ajoutez-y le gingembre. Chauffez l'huile et laissez mijoter pendant deux minutes, tout en remuant. Baissez la flamme et ajoutez le lombok ainsi que tous les ingrédients, excepté la Maïzena et l'eau. Amenez la sauce à ébullition, tout en remuant. Modérez la flamme et laisser mijoter la sauce encore 3 minutes. Délayez la Maïzena dans l'eau et ajoutez à la sauce. Laissez mijoter jusqu'à consistance limpide. Hachez finement les jeunes oignons et parsemez-les sur la sauce avant de servir.

Sauces Indiennes

En Inde, les "chutneys" exquis agrémentent les plats. Chaque jour, un autre "chutney" est présenté à table. A ce sujet, il existe une littérature très vaste. Nous vous donnons la recette d'un "chutney" et d'une sauce:

CHUTNEY AUX DATTES

1 boîte de 450 g de tomates pelées
200 g de dattes dénoyautées
100 g de raisins secs
125 ml de vinaigre
1 c.à c., à ras, de poivre de cayenne
1 c.à c. de sel

Dans une casserole, mettez les dates très finement coupées avec les autres ingrédients. Laissez mijoter et réduire, à petit feu, pendant 1 à 1 heure et demie, en remuant de temps à autre. Transvasez le "chutney" dans de petits bocaux de verre passés à l'eau bouillante et conservez-les bien fermés après refroidissement, au réfrigérateur. *Accompagne:* plats de viande, riz.

SAUCE AU CURRY ET AUX RAISINS

40 ml d'huile
2 c.à s., à ras, de farine
1 gros oignon, émincé
500 ml de bouillon de veau
2 pommes
75 g de raisins secs
3 c.à c., à ras, de curry (doux)
1 feuille de laurier
1 zeste de citron râpé
sel et poivre

Dans une casserole, chauffez l'huile; ajoutez la farine et remuez jusqu'à ce qu'elle prenne une coloration brune. Sans cesser de remuer, ajoutez le bouillon, ensuite l'oignon coupé. Dans un plat, mélangez ensemble les pommes, les raisins, la poudre de curry et le zeste du citron. Incorporez ce mélange à la sauce. Y mettre la feuille de laurier. Laissez mijoter le tout, à feu doux, jusqu'à ce que les pommes soient cuites à point, tout en remuant régulièrement. Ajoutez sel et poivre selon goût.

Sauces Indonésiennes

SAUCE KETJAP

20 ml d'huile
1 oignon haché
1 gousse d'ail
80 ml de ketjap asin
3/4 de céleri
1 c.à c. de sambal manis
1 c.à c. de djawa ou sucre de canne brun
le jus de 1/2 citron

Dans une casserole, chauffez l'huile; mettez-y l'oignon et l'ail pilé. Laissez rissoler l'oignon jusqu'à ce qu'il prenne une légère coloration dorée et transparente. Incorporez ensuite tous les autres ingrédients, excepté le céleri finement coupé. Laissez mijoter la sauce 5 minutes, à feu doux; ajoutez, tout en remuant, le céleri. *Accompagne:* poisson cuit, tahoe et tofoe, et taugeh.

SAUCE BLANCHE AUX GRAINES DE SESAME

1/2 bloc de tahoe
4 c.à s. de graines de sésame
1 c.à s. de sucre de canne blond
3 c.à s. de jus de citron
1 c.à s. de sherry (doux)
1/2 c.à c. de sel

Faites cuire le tahoe 3 minutes et égouttez-le. Pressez le bloc de tahoe dans un torchon (il se désagrège de lui-même). Dans un poêlon, faites griller à feu doux les graines de sésame. Remuez de temps à autre pour éviter de les brûler. Pilez les petites graines au mortier.

Mélangez avec le tahoe et continuer le broyage 3 minutes. Incorporez les autres ingrédients. Pressez et broyez jusqu'à ce que la sauce devienne pâteuse.
Accompagne: légumes divers.

SAUCE SAMBAL

40 ml d'huile
1-2 c.à c. de sambal oelek ou roedjak
1cm de trassi
5-6 tomates mûres, pelées, coupées en petits morceaux
1 c.à s. de ketjap asin
1 c.à s. de sucre de canne brun
eau si besoin
1 cube de bouillon de boeuf pour 1/4 litre

Chauffez l'huile et ajoutez-y le sambal, le trassi finement écrasé et délayé dans un peu d'eau, le cube de bouillon et le ketjap asin.
Ajoutez à la sauce, les tomates avec le sucre.
Laissez mijoter un peu, à petit feu.
Accompagne: oeufs durs (qui peuvent aussi être cuits, coupés en quatre, dans la sauce), riz, concombre, mais aussi ananas.

SAUCE TAOTJO

2 c.à s. d'huile
1 oignon finement haché
1 gousse d'ail, haché et mélangé à l'oignon
un peu de gingembre, finement haché
1 petit poireau
1/2 boîte de taotjo
1 c.à c. de tetoembar en poudre
1/2 c.à c. de djintan en poudre
eau

Broyez au mortier l'oignon et l'ail hachés, ensemble avec le gingembre.
Faites revenir le tout dans l'huile, avec le poireau coupé en rondelles.
Ajoutez le taotjo et un filet d'eau.
Réchauffez et laissez mijoter la sauce un petit instant.
Accompagne: poisson cuit.

Chutneys

CHUTNEY KASJMIER

350 g de sucre brun
1 litre de vinaigre
600 g de racine de gingembre, nettoyée et finement hachée
500 g d'ail, finement haché
75 g de poivre rouge du Chili, pilé
175 g de graines de moutarde

Versez, en partie, le vinaigre sur le sucre jusqu'à ce qu'il soit dissous. Mélangez ensemble les ingrédients finement hachés et ajoutez les graines de moutarde et le reste de vinaigre. Incorporez ce mélange à la solution de sucre et mélangez bien le tout. Il doit immédiatement être mis dans de petits bocaux fermés le plus rapidement possible. Après 3 semaines, il pourra être consommé.

CHUTNEY AU CASSIS

1 kg de groseilles noires
125 ml d'eau
250 ml de vinaigre de vin
500 g de sucre blanc ou de candi
1/2 c.à c. de djahe
une pincée de cannelle en poudre

Lavez les groseilles noires et égouttez-les dans une passoire.
Entre-temps, faites cuire quelques minutes dans l'eau, les graines de cumin. Retirez-les de l'eau.
Faites dissoudre le sucre dans le vinaigre amené d'abord

Sauce tartare au fromage blanc (p.54)

une pincée de kardamon en poudre
une pincée de clou de girofle en
poudre
une pincée de poivre noir, moulu
1 gousse d'ail
1 c.à c. à ras de sel
1 c.à c. de cumin (kummel)

à ébullition.

Pilez l'ail. Ajoutez l'eau de cuisson des graines de cumin
au vinaigre et incorporez ensuite tous les autres
ingrédients, sauf les graines de cumin.

Continuez la cuisson du mélange et laissez réduire
jusqu'à épaississement.

Mettre dans de petits bocaux et fermez.

CHUTNEY AUX POMMES

1 kg de pommes sûres, pelées et coupées en 4
500 g d'oignons, pelés et coupés
4 grosses oranges
300 g de tomates, pelées et coupées en morceaux
100 g de racine de gingembre frais, gratté et coupé
250 g de sucre
250 ml de vinaigre
1 c.à c. à ras de sel

Coupez les oranges en rondelles et enlevez au couteau la pelure et la pellicule blanche autour des rondelles.
Passez tour à tour les ingrédients dans la moulinette.
Dans une casserole, mettez le sucre et le sel et ajoutez-y les fruits moulus.
Remuez le mélange et portez-le à ébullition. Baissez ensuite la flamme et continuez à remuer souvent.
Quand le chutney s'est épaissi, transvasez-le dans de petits bocaux et fermez immédiatement.

CHUTNEY AUX BANANES

4 grosses bananes
300 g d'oignons pelés et finement hachés
1 carotte moyenne, nettoyée et râpée
75 g de dattes dénoyautées et finement hachées
1 tomate moyenne, pelée, épépinée et coupée en petits morceaux
80 g de sucre brun
1/2 c.à c. de curry
2 c.à c. de sel
2 c.à c. de djahe (gingembre en poudre)
une pincée de macis, moulu
250 ml de vinaigre

Pelez les bananes et coupez-les en petits dés.
Dans une casserole, mettez tous les ingrédients; mélangez bien le tout et amenez à ébullition.
Laissez épaissir le mélange, la casserole non couverte.
Remuez jusqu'à ce que la sauce soit bien épaisse.
Passez-la au tamis et amenez de nouveau à ébullition le mélange recueilli dans une casserole propre.
Vérifiez l'assaisonnement.
Transvasez dans de petits bocaux, fermez immédiatement.

Relishes

RELISH AU CONCOMBRE

5 grands concombres
2 gros oignons, pelés et coupés en huit
3 poivrons verts
3 c.à s. de sel
250 g de sucre brun
2 c.à s. de raifort râpé
1 c.à s. de graines de moutarde
1/2 c.à c. de sel de céleri
1 bouteille de vinaigre d'estragon

Pelez les concombres; coupez-les en quatre dans le sens de la longueur et enlevez les pépins. Coupez les tranches de concombre en petits morceaux égaux. Lavez le poivron; coupez-le et enlevez les pellicules blanches et les pépins. Hachez-les grossièrement. Passez à la moulinette les morceaux de poivron, de concombre et d'oignons. Mélangez-y le sel et laissez reposer le tout, au frais, et couvert, pendant 12 heures. Passez ensuite le mélange sur une étamine posée dans une passoire. Ajoutez au mélange le raifort râpé, le sucre, la moutarde broyée et le sel de céleri. Versez le vinaigre pour recouvrir le tout. Mélangez bien. Ce relish se prépare sans cuisson. A ce moment, il peut être transvasé dans de petits bocaux, fermés hermétiquement.

RELISH AU CELERI

1/2 céleri-rave, nettoyé et coupé en petits morceaux
2 poivrons rouges
5 poivrons verts
1500 g de tomates, encore vertes, pelées et coupées en petits morceaux
5 gros oignons, pelés et hachés menu
325 ml de vinaigre de vin
5 c.à s., à ras, de graines de moutarde
175 g de sucre
1/2 c.à s. de moutarde de Dijon
1 c.à s., à ras, de sel

Coupez tous les poivrons dans le sens de la longueur; enlevez la pellicule blanche et les pépins. Lavez-les, égouttez-les et hachez-les menu. Mettez ensuite tous les légumes dans un plat profond et salez. Versez le vinaigre. Laissez ensuite reposer, au frais, pendant 12 heures, le plat couvert. Le lendemain, ajoutez le sucre, la moutarde et les graines de moutarde; transvasez le mélange dans une casserole non couverte et laissez cuire 1 1/2 heure. Quand le mélange commence à s'épaissir, versez-le dans de petits bocaux que vous fermez immédiatement.

RELISH AUX GROSEILLES A MAQUEREAU

1000 g de groseilles à maquereau, lavées et coupées en deux
300 g de raisins secs, coupés menu
500 g d'oignons, pelés et hachés menu
500 ml de vinaigre de vin
300 g de sucre de canne brun
1 c.à c. de moutarde, en poudre
une pincée de poivre de cayenne
1 c.à c., à ras, de koenjit
1 c.à s. de sel
1 c.à s. de djahe (gingembre en poudre)

Dans une casserole, mettez tous les ingrédients ensemble; portez le tout à ébullition.
Ensuite, laissez mijoter environ 45-60 minutes, en remuant régulièrement.
Versez le mélange dans de petits bocaux et fermez-les immédiatement.

RELISH AUX PECHES

500 g de pêches, pesées dénoyautées et pelées
150 g d'oignons, pelés et finement hachés
75 g de pommes, épluchées et coupées en petits morceaux
40 g de racine de gingembre, nettoyée et râpée
1 c.à c., à ras, de sel
350 ml de vinaigre de vin blanc
100 g de sucre de canne brun
1 clou de girofle
1 grande gousse ou 1 petite gousse et demi de poivre rouge du Chili
1-2 c.à c. de jus de citron; le zeste d'un citron râpé
125 g de raisins secs, finement coupés
1 gousse d'ail

Amenez à ébullition le vinaigre mélangé à la racine de gingembre, le poivre du Chili, le sucre et le clou de girofle; laissez mijoter le tout (environ 8 minutes).
Dans un plat profond, mettez les fruits; saupoudrez le sel; versez le liquide bouillant par-dessus les fruits.
Laissez maintenant reposer au frais pendant 12 heures. Ensuite amenez de nouveau le mélange à ébullition; puis laissez cuire doucement pendant 3 heures.
Le relish commence alors à s'épaissir. Retirez le clou de girofle et les gousses de poivre du Chili.
Transvasez ensuite dans de petits bocaux qui doivent être fermés immédiatement.

Les sauces au fromage blanc

Le fromage blanc de préférence très frais, peut parfaitement être incorporé aux sauces riches en valeurs nutritives et qui pourtant n'affectent pas la ligne. La plupart des mélanges cités sous le chapitre des ''Beurres'' peuvent également être incorporés au fromage blanc, bien qu'il faille être prudent quant aux quantités de liquides à mélanger ensemble. Ceux-ci doivent être versés goutte à goutte après avoir mélangé d'abord les ingrédients principaux. Il faut aussi veiller à ce que le fromage blanc ne soit pas trop liquide. Il ne se conserve pas longtemps non plus, mais il est moins gras que les sauces préparées avec du beurre.

SAUCE TOMATE AU FROMAGE BLANC

*la moitié d'une petite boîte de
purée de tomates
200 g de fromage blanc
2 c.à c. de raifort râpé
1/2 échalote finement coupée en
petits morceaux
1 c.à c. de sauce anglaise (Wor-
cerstershiresauce)
1 pincée de basilic*

Mélangez bien tous les ingrédients ensemble.

FROMAGE BLANC AU JAMBON

*300 g de fromage blanc
100 g de jambon cru
une pincée de romarin
poivre noir*

Coupez finement le jambon et mélangez-le à tous les ingrédients.

FROMAGE BLANC AU RAIFORT

*200 g de fromage blanc
une demi-tasse de ciboulette fraîche, finement hachée
une demi-pomme râpée
2 c.à c. de jus de citron
2 c.à c. de raifort râpé*

Mélangez le raifort et la pomme râpée et versez goutte à goutte le jus de citron, de telle sorte que la pomme ne brunisse pas. Incorporez d'abord la ciboulette au fromage blanc et ensuite le restant des ingrédients déjà mélangés.

SAUCE AU FROMAGE BLANC, AU JAMBON ET AUX RADIS

*200 g de fromage blanc
50 ml de crème aigre
1 échalotte
1 c.à s. de ciboulette fraîche,
hachée
5 radis, râpés
50 g de jambon cuit, coupé
1/2 c.à c. de cumin, moulu
poivre (blanc)*

Mélangez tous les ingrédients ensemble, excepté le cumin et le poivre que vous ajouterez à la sauce au dernier moment pour en relever le goût.

Sauce yoghourt (p.55)

SAUCE PIQUANTE AU FROMAGE BLANC ET AUX ANCHOIS

125 ml de fromage blanc
300 ml de yogourt entier
8 filets d'anchois, finement
hachés
50 g cresson finement haché
jus de 1/2 citron
1/2 - 1 c.à c. de tabasco
sel selon goût

Mélangez tous les ingrédients ensemble, de préférence au mixer.

SAUCE TARTARE AU FROMAGE BLANC

200 g de fromage blanc
2 jaunes d'oeufs durs écrasés
1 échalote finement hachée
1 cornichon au vinaigre, haché
2 c.à c. de moutarde
2 c.à c. de câpres hachés
1 c.à c. de ciboulette fraîche, finement hachée
une pincée d'estragon séché
une pincée de cerfeuil séché
1 cm de pâte d'anchois, en tube

Mélangez bien tous les ingrédients ensemble.

SAUCE GRECQUE (POUR ACCOMPAGNER L'AGNEAU)

1 oignon
1 poivron vert
1 verre de rhum
75 ml d'eau
175 ml de crème fraîche
1/2 c.à s. de sucre
1 1/2 c.à s. de purée de tomates
1/2 c.à s. de romarin frais
1/2 c.à s. de feuilles de thym frais
200 g de fromage blanc

Hachez finement le poivron ainsi que l'oignon. Dans une casserole à fond épais, mettez le rhum, l'eau, le romarin et le thym frais. Laissez mijoter doucement 5 minutes. Ajoutez-y la sauce anglaise, le sucre et la purée de tomates. Mélangez bien le tout et laissez refroidir. Fouettez fermement la crème et mélangez-la au fromage blanc. Ajoutez-y le mélange refroidi des autres ingrédients. Assaisonnez si nécessaire. Laissez refroidir au réfrigérateur.

SAUCE AU FROMAGE BLANC, AUX CREVETTES ET AUX MANDARINES

200 g de fromage blanc
100 ml de sauce au whisky (déjà préparée, vendue dans le commerce)
100 g de crevettes du Nord
1/2 boîte de mandarines dans leur jus
2 brins de persil

Nettoyez les crevettes et hachez-les. Divisez les mandarines en petits quartiers. Mélangez au fromage blanc la sauce au whisky et ensuite épaississez la sauce à votre goût avec le jus de la boîte de mandarines. Incorporez maintenant les mandarines et les crevettes. Hachez finement le persil et ajoutez au mélange en remuant.
Accompagne: salade pommée aux concombres, aussi les nouvelles pommes de terre cuites.

SAUCE A LA CREME AIGRE

30 g de beurre
25 g de farine
1/2 l de bouillon cube
1/2 oignon
1 pot de crème aigre
sel

Chauffez le beurre dans la poêle, ajoutez-y la farine, laissez frire un moment. Tout en mélangeant, ajoutez le bouillon. Ajoutez l'oignon très finement haché.
Retirez la poêle du feu et versez la crème. Salez selon convenance.

Vous pouvez verser cette sauce sur un plat de purée de pommes de terre, le parsemer de parmesan puis glisser le plat au four.

SAUCE GRECQUE AU YOGOURT

400 ml de yogourt
2 gousses d'ail, finement hachées
10 olives noires
1 c.à s. de poivron vert, haché
sel, poudre de paprika (doux),
poivre

Laissez égoutter le yogourt sur papier filtre.
Incorporez-y ensuite l'ail, les olives dénoyautées, finement coupées, le piment vert. Ajoutez la poudre de paprika, le sel et le poivre selon goût.

SAUCE YOGHOURT

1 petit pot de yoghourt
1 gousse d'ail pressée
1 c.à s. d'huile
1/2 c.à c. d'origan séché
le jus d'1 citron
poivre et sel

Mélangez le yoghourt, l'ail, l'origan, l'huile, le poivre et le sel pour obtenir une sauce onctueuse. Puis ajoutez-y le jus de citron.
Accompagne: toutes les salades, la viande froide, les oeufs durs.

Les beurres

Dans la Nouvelle Cuisine Française, le beurre occupe une place importante. Dans cette cuisine, on tend à éviter autant que possible de chauffer le beurre, car on a découvert que le beurre chauffé contient des éléments très nuisibles à la santé. Les mélanges au beurre sont utilisés dans certaines sauces, pour garnir les toasts, pour accompagner les viandes rôties, le poisson, mais aussi, par exemple, les nouvelles pommes de terre cuites, certains légumes (chou-fleur). Les mélanges au beurre peuvent être simples ou plus complexes selon ce que l'on souhaite. Une condition est indispensable: le beurre doit être aussi frais que possible. En fait, c'est le beurre de ferme, fraîchement baratté de préférence, qui se travaillera le plus facilement.

Certains crémiers vendent du beurre de ferme au poids, mais l'acheteur doit être prudent et au besoin demander à le goûter. Le beurre doit être frais; il ne peut être rance ou goûter le sébum. Le beurre français convient aussi, mais il doit également comporter sur l'emballage une date de fraîcheur qui n'est pas périmée.

Il ne faut pas penser que tous les beurres doivent être servis froids. Toutes les recettes des beurres froids peuvent aussi être présentées tièdes ou chaudes. Le beurre doit rester épais et mousseux. Pour certains beurres, les ingrédients ou éléments ajoutés sont d'abord réchauffés et ensuite incorporés au beurre, tout en fouettant, jusqu'à son réchauffement; dans d'autres cas, le mélange de beurre sera lentement réchauffé, tout en ne cessant pas de fouetter. Le beurre doit rester opaque. De préférence, servez-le sans colorant.

BEURRE AU CELERI

200 g de beurre
3 c.à s. de céleri-rave en petits
dés
jus de 1/2 citron
sel, poudre de coriandre
2 c.à s. de fromage râpé Emmen-
thal

Ramollir le beurre, sans le faire fondre. Ecrasez finement les dés de céleri cuits en ajoutant le jus de citron et la 1/2 cuillerée de coriandre, jusqu'à obtention d'une très fine purée. Ajoutez au beurre le fromage Emmenthal et incorporez-y ensuite la purée de céleri.

BEURRE AUX ECHALOTES (TIEDE)

300 g de beurre
1 1/2 verre de Muscadet, de préférence jeune et sec
3 c.à s. d'échalotes finement hachées
poivre moulu
sel

Dans une casserole à fond épais, versez le Muscadet. Ajoutez-y les échalotes. Laissez mijoter le tout sans faire dessécher les échalotes. Réchauffez une saucière. Travaillez ensuite le beurre avec les échalotes. Assaisonnez. Mettez le beurre travaillé dans la saucière et saupoudrez de poivre.

SAUCE AUX HERBES

250 g de beurre
une petite feuille émiettée de sauge sèche
une pointe de poudre d'estragon
une pointe de poudre de thym
une pointe de poudre de marjolaine
2 c.à c. à ras de persil finement haché
1 1/2 cuillerée d'échalotes finement hachés
1/2 à 1 gousse d'ail, finement haché
jus d'un 1/2 citron
1/2 c.à c. de sauce anglaise (Worcestershire)
1/2 c.à c. de tabasco
2 c.à c. de Madère
2 c.à c. de Cognac
3 c.à c. de moutarde de Dijon
3 c.à c. de poudre de paprika
sel, poivre

Laissez venir le beurre à température de la pièce, de façon à ce qu'il se mélange bien.
Avec le mixer à main, réglé sur la vitesse la plus lente, fouettez le beurre jusqu'à consistance mousseuse.
Ajoutez les épices, ensuite la moutarde et la sauce anglaise, le tabasco, le Madère et le Cognac.
Mélangez bien le tout; salez et poivrez.
Mettez au frigo.

BEURRE A L'OSEILLE

2 c.à s. d'oseille finement hachée
un jaune d'oeuf dur
125 g de beurre
une petit échalotte finement hachée
une pointe de poivre de cayenne
une pointe de noix de muscade
sel

Chauffez le beurre, sans le faire fondre, jusqu'à consistance molle. Mélangez à la moitié de la quantité de beurre l'oseille et l'échalote hachée. Dans une petite casserole, chauffez doucement en ne cessant pas de remuer. Une fois le beurre tiédi et à consistance mousseuse, incorporez-y par petites quantités l'autre moitié de la quantité de beurre, et ce en dehors du feu; assaisonnez et ensuite mélangez-y le jaune d'oeuf émietté. Servir la préparation tiède ou la mettre au frigo et la laisser se solidifier.
Accompagne: saumon, moules, anguille

BEURRE AU ROQUEFORT

100 g de beurre
50 g de roquefort
1 c.à s. de cognac

Passez le fromage au tamis. Mélangez ensuite au mixer tous les ingrédients ensemble et ajoutez le poivre si nécessaire.

Beurre aux noisettes, aux amandes et aux noix (p.59)

BEURRE AU JAMBON ET AU PAPRIKA

250 g de beurre
environ 100 g de jambon cuit
50 g de pâté de foie d'oie
250 g de crème bien fouettée
sel et poivre si nécessaire
poudre de paprika doux

Coupez le jambon en morceaux. Portez le beurre à température ambiante et travaillez-le ensuite jusqu'à consistance mousseuse. Incorporez les morceaux de jambon au pâté de foie et mélangez-le au beurre. Ensuite salez, poivrez et ajoutez avec prudence le paprika en poudre et la crème. Mettez la préparation au frigo.

Diverses préparations simples de beurres

Voici quelques idées de mélanges très simples. Ils sont à base de beurre auquel un seul ingrédient est ajouté, ainsi que du sel et du poivre ou l'un des deux seulement. Ils se préparent toujours avec deux fois du beurre pour une fois la quantité de l'ingrédient ajouté et parfois aussi avec un peu de jus de citron.

Beurre aux anchois: beurre, pâté d'anchois, 1 c.à c. de jus de citron, poivre
Beurre au Bleu danois: Bleu danois morcelé, beurre
Beurre à l'estragon: beurre, estragon frais
Beurre à l'ail: beurre, gousses d'ail finement hachées ou pilées
Beurre au cerfeuil: beurre, cerfeuil frais finement haché, poivre et sel
Beurre au cresson: beurre, cresson finement haché, sel, poivre
Beurre aux crevettes: beurre, crevettes hachées, sel, poivre
Beurre aux tomates: beurre, purée de tomates, sel

Beurres classiques

BEURRE MAITRE D'HOTEL

100 g de beurre
2 c.à s. de persil finement haché
1 c.à c. de feuille de basilic frais
2 c.à s. de ciboulette finement hachée
1-2 gousses d'ail pilé
40 ml de jus de citron

Réchauffez le beurre à température ambiante.
Au mixer, mélangez tous les ingrédients.
Conservez le beurre préparé dans une feuille d'aluminium, sous forme de petit rouleau, au réfrigérateur.

BEURRE AU CAVIAR

100 g de beurre
4 jaunes d'oeufs durs
50 g de caviar
une pincée de poudre de coriandre
1 c.à s. de jus de citron
sel, poivre (blanc)

Ecrasez les jaunes d'oeufs et mélangez-les avec le jus de citron, la poudre de coriandre et le caviar.
Incorporez ce mélange au beurre et assaisonnez avec sel et poivre.

BEURRE A LA MOUTARDE

100 g de beurre
2 jaunes d'oeufs durs
1 c.à s. de moutarde fine
1 c.à c. de sauce anglaise (Worcestershiresauce)
éventuellement 1/2 c.à c. de persil finement haché
sel, poivre

Ecrasez bien les jaunes d'oeufs et mélangez avec la moutarde, la sauce anglaise et le persil.
Incorporez ce mélange au beurre et ajoutez sel et poivre selon goût.

BEURRE AUX NOISETTES, AUX AMANDES OU AUX NOIX

200 g de beurre
100 g de noix pilées, débarrassées
de leur peau brune
jus de 1/2 citron
sel, sucre

Dans le mixer, mélangez les noix pilées, le jus de citron et le sucre (pas trop) et incorporez le mélange au beurre. Ajoutez le sel et éventuellement un peu de sucre si nécessaire.

Quelques conseils pour vos raclettes, fondues et soirées de gourmets

Raclette

La raclette est un délicieux mets au fromage, originaire du Valais Suisse. Il est tout aussi plaisant à manger que la fondue au fromage.

Il existe aujourd'hui différents fours à raclette; dans certains magasins spécialisés on peut même louer un véritable appareil à raclette comme on en voit dans les restaurant suisses.

Pour la raclette, on peut acheter du fromage spécial, mais du Gouda belge convient tout aussi bien. Le fromage est placé, sa face molle du côté de la source de chaleur, dès qu'il commence à fondre , on le racle avec un couteau et on place cette tranche fondue sur une assiette préchauffée. Et l'on continue ainsi jusqu'à la fin du fromage.
Il faut poivrer le fromage et le manger directement.
Avec une raclette, on mange des pommes de terre en chemise, relevées d'une sauce aigre. Des petits oignons et des cornichons complètent parfaitement le plat. De même, il est délicieux de grignoter de petits épis de maïs.

Comme boisson on peut prendre un vin blanc sec, mais du thé chaud peut fort bien accompagner la raclette, mais ne buvez surtout pas de boisson fraîche. Les Suisses terminent leur repas par une coupe de cocktail de fruits, garnie de crème fraîche et par du café noir arrosé de liqueur de poire.

Le four ou appareil à raclette n'est pas indispensable pour ce plat. On peut également faire fondre le fromage en-dessous du grill. On le racle de la même façon avec un couteau puis on mange la tranche encore chaude.

Fondue

Les plus célèbres fondues sont la fondue bourguignonne et la fondue au fromage. Pour la fondue bourguignonne, il faut employer des morceaux de filet de boeuf. Comme cette viande est particulièrement chère, on peut la remplacer par des morceaux de porc, de poulet, des petites boulettes, des saucisses, des morceaux de beefsteak, etc...

La fondue au fromage se prépare de diverses façons; pour la fondue suisse on emploiera des fromages hollandais tels le Gouda ou l'Edam, pour la fondue irlandaise, du fromage irlandais et du whisky. De même il existe des fondues à base de bouillon qui ont l'avantage de moins peser sur l'estomac. Il existe aussi une fondue sucrée: la fondue au chocolat où des morceaux de fruits sont plongés dans du chocolat fondu.

Dans la fondue au fromage, ce sont des morceaux de pain que l'on plonge dans le fromage fondu. Cette fondue étant assez nourrissante, il est conseillé de l'accompagner d'un plat de salade verte. Lors de la préparation de la fondue au fromage, il ne faut pas raper trop finement le fromage car il risque de se grumeler. Il vaut mieux couper le fromage en cubes.

Une fondue bourguignonne s'accompagne évidemment de sauces. On peut les acheter toutes préparées mais elles sont bien meilleures si vous les préparez vous-même. Vous trouverez dans ce livre nombre de sauces à servir avec une fonduv bourguignonne. Par exemple la sauce cocktail, la sauce à la moutarde, sauce au raifort, sauce tartare, sauce à l'avocat, sauce ravigotte, sauce à la crème, etc...

On peut aussi faire des sauces rapides en ajoutant à une mayonnaise de la purée de tomate ou du ketchup, du cognac ou de la moutarde. Avec un peu de fantaisie, on peut réussir très vite des sauces délicieuses. Si on veut alléger les sauces, il suffit de remplacer une partie de la mayonnaise par du yoghourt ou de la crème.

Outre les sauces, cette fondue est servi avec des tranches de baguette et un plat de salade verte. Selon votre goût ou celui de vos invités, vous pouvez varier les accompagnements en présentant par exemple des olives, des cornichons, des petits oignons, des pickles, des champignons, du chutney, etc...

Avec une fondue bourguignonne, on sert un bon vin rouge.

Soirée de gourmets

Ce qu'il y a d'amusant dans une soirée de gourmets est que chacun prépare son propre petit plat sur son propre réchaud. Comme pour la raclette ou la fondue, tous les ingrédients doivent être sur table. En plus des réchauds (une petit caquelon par personne), doivent se trouver sur la table un plat de salade, du pain, et tous les ingrédients avec lesquels les invités peuvent se composer de délicieux petits plats. Tous ces ingrédients doivent être coupés en petits morceaux enfin que la préparation ne prenne pas trop de temps. Prenez des morceaux de filets de poisson et de viande vite cuite comme du beefsteak, du foie, du filet de porc, du haché, du poulet, des petites saucisses. Les légumes qui conviennent pour ce plat, sont ceux que vous pouvez couper en morceaux comme les poivrons, les tomates, les aubergines, les courgettes, les champignons, etc..., de même que des petits pois, des haricots princesses, du chou-fleur. Des légumes verts ne conviennent pas.

Bien sûr il ne faut pas oublier les sauces, achetées toutes faites ou préparées à la maison, selon les viandes, poissons et légumes que vous pouvez proposer. Quelques exemples: sauce des Balkans, sauce rémoulade, sauce à l'ail, etc... N'oubliez pas le sel, le poivre, le tabasco ou la sauce anglaise. On peut indifféremment boire du vin rouge, blanc ou rosé.

Sauces pour gourmets (p.60)

Conclusion

Bien sûr, il existe un nombre infini de sauces et celui, qui, partant de son expérience acquise dans le domaine des préparations classiques, veut faire jouer son imagination, peut tomber sur des trouvailles qui peuvent le qualifier, dans son entourage familial ou d'amis, de maître ou de maîtresse en matière de sauces.

Index